Chères lectrices,

Reposantes, les ... qu'à les préparer, il y a de ...

Je vous sens du ... de quoi je parle : la pério ... les plus fatigantes de l'année — un ... battant ! Voyez un peu les épreuves rituelles par lesquelles il nous faut passer :

- épreuve n° 1 : faire la queue à l'agence de voyages dans une ambiance quasi tropicale (parce que la climatisation est en panne) ; rentrer chez soi — en nage — avec des brochures aussi lourdes que des annuaires téléphoniques.
- épreuve n° 2 : feuilleter les milliers de pages desdites brochures, les yeux éblouis d'avoir consulté tant de photos ensoleillées, et se résoudre à choisir parmi des destinations toutes qualifiées de « paradisiaques ». Une très lourde responsabilité !
- épreuve n° 3 : une fois la destination choisie, évaluer notre garde-robe. (Vous ne pensiez pas que les vieilleries de l'été dernier feraient l'affaire, tout de même ?)
- épreuve n° 4 : le shopping, pour pallier le problème susmentionné. Pas facile de faire les magasins en plein mois de mars, entre deux giboulées, ni de se retrouver dans la cabine d'essayage à nous imaginer bronzée et avec trois kilos en moins (que nous aurons perdus d'ici à juillet, c'est sûr).

Bon, la liste est encore longue, mais ai-je besoin d'aller plus loin ? Car, maintenant, vous le savez : les vacances, c'est fait pour se reposer de tout le stress qu'elles nous donnent !

La responsable de collection

La promesse de Sullivan

CATHERINE SPENCER

La promesse de Sullivan

COLLECTION AZUR

Cet ouvrage a été publié en langue anglaise
sous le titre :
MACKENZIE'S PROMISE

Traduction française de
ANNE DAUTUN

83-85, boulevard Vincent-Auriol, 75013 PARIS — Tél. : 01 42 16 63 63
Service Lectrices — Tél. : 01 45 82 47 47
ISBN 2-280-20215-8 — ISSN 0993-4448

1.

Le jour où l'on dut hospitaliser sa sœur June dans le service psychiatrique du Lion's Gate Hospital de Vancouver, Melissa Carr décida de passer personnellement à l'action.

Le bébé de June avait disparu depuis sept semaines, à présent. Et jusqu'ici, la police n'avait abouti à rien.

« Je ne vais pas rester les bras croisés pendant que ma sœur sombre dans la dépression », pensa la jeune femme.

Elle n'avait pas beaucoup dormi depuis la disparition de la petite fille. Alors, elle imaginait sans peine ce que June avait dû ressentir en apprenant que son premier enfant avait été enlevé de la maternité aussitôt après l'accouchement... par celui qui en était le père !

Kirk Thayer avait toujours eu, à propos de June, un comportement excessif ; surtout à dater du moment où il avait su qu'elle était enceinte. C'était d'ailleurs pour cela que June avait refusé de l'épouser. Mais de là à imaginer qu'il enlèverait la petite pour disparaître sans laisser de traces !

Résolue à agir, Melissa rendit visite à June dès le lendemain de son hospitalisation, et lui annonça son intention :

— Je te promets de retrouver ta petite Angela. Occupe-toi de te soigner pour être prête à jouer ton rôle de mère quand je te la ramènerai. Je me charge du reste.

Le soir venu, elle dîna avec son amie Linda dans leur restaurant favori, et se confia à elle.

— Et comment comptes-tu tenir ta promesse ? lui objecta son amie. Tu as un diplôme de chef cuisinier. Pas de quoi t'improviser détective ! La police a établi que Thayer a quitté le Canada le jour même de l'enlèvement, sans doute pour se réfugier aux Etats-Unis. Depuis, il est introuvable. Et, étant donné le caractère extrêmement imprévisible de son comportement, tu vas avoir besoin d'un expert pour mettre la main sur lui !

— Du roi des experts, tu veux dire ! Et grâce à toi, je sais qui c'est ! Tu te souviens de cet article que tu m'avais envoyé lorsque j'étais en stage culinaire à Rome ? Ton papier sur cet officier de police à la mentalité de franc-tireur qui a quitté son métier parce qu'il ne supportait pas le carcan du règlement ?

— Tu ne veux tout de même pas me parler de Mac Sullivan ? se récria Linda. L'ex-super flic qui vit en ermite sur la côte de l'Oregon ?

— Mais si ! Puisque jusqu'ici, ça n'a servi à rien de suivre la méthode traditionnelle d'investigation, il est temps d'adopter une autre tactique !

— Sans doute, mais ce n'est pas avec Mac Sullivan que tu y parviendras ! Il refusera de t'aider, si tant est que tu réussisses à le joindre ! Il ne cédera jamais. C'est un obstiné, et je m'y connais. J'ai eu plus de mal à réaliser mon enquête que je n'en aurais eu à obtenir une interview avec la reine d'Angleterre !

— Peu importe. Il passe pour un as en ce qui concerne la recherche de personnes disparues. Tu lui accordais même pratiquement un don de double vue ! Alors, je suis prête à faire son siège ! Je ne supporte pas de voir dépérir June, et de rester impuissante !

— Je te comprends. La pauvre, je l'ai à peine reconnue, la dernière fois que je lui ai rendu visite. Elle est maigre à faire peur, et elle a un regard qui vous hante !

Là-dessus, Linda poussa un gros soupir et ajouta :

— Bon ! que puis-je faire pour t'aider ? Car tu as quelque chose à me demander, pas vrai ?

— Je voudrais l'adresse exacte de Mac Sullivan.

— Il vit sur la plage de Trillium Cove.

— Où est-ce ?

— Cela se trouve entre Bandon et Coos Bay, et c'est une villégiature pour richards. Les touristes et les intrus n'y sont pas très bien vus. Quand nous sommes allés enquêter là-bas, nous avons été traités comme des lépreux. Pour en revenir à Mac Sullivan, il vit au bout d'une route gravillonnée qui part de la poste, tu n'auras pas de mal à dénicher sa maison. Mais si tu le trouves...

— Je le trouverai, Linda. Je suis résolue à mettre la main sur lui, coûte que coûte. June est à bout, et ma mère aussi. Tu sais ce que maman a déjà traversé. Cette affreuse histoire pourrait lui porter le coup de grâce. Cela ne peut pas continuer comme ça.

— Eh bien ! un conseil : quand tu trouveras Mac Sullivan, n'essaie surtout pas de lui forcer la main.

— Pourquoi ? C'est une situation d'urgence !

— Ce n'est pas un homme qu'on met au pied du mur. Ne t'attends pas à pouvoir le manipuler. D'autant qu'il veut se consacrer au livre qu'il rédige sur la criminalité. Il déteste tout ce qui le détourne de son but, même s'il a accepté en de très rares occasions de conseiller la police.

— Quand il saura de quoi il retourne, il fera une exception. Il le faut !

— Je serai franche : ne compte pas là-dessus. Il tient à préserver sa vie privée et sa liberté. Personne ne lui dicte ses actes.

— Lorsqu'il apprendra ce que je suis prête à payer, il dira oui, répliqua Melissa.

De nouveau, Linda secoua la tête.

— Il est plein aux as, dit-elle. Si tu veux l'intéresser à ton cas, il faut adopter une approche plus subtile et te montrer très persuasive, si tu vois ce que je veux dire !

Melissa la dévisagea, scandalisée.

— Tu ne me suggères tout de même pas de lui faire des avances ?

— Inutile de monter sur tes grands chevaux ! il s'agit seulement de le caresser dans le sens du poil.

— Pas question ! s'insurgea Melissa.

Elle n'avait pas obstinément refusé pendant cinq ans les avances de chefs célèbres et de restaurateurs cinq étoiles pour s'abaisser à flatter un ex-flic qui se croyait sorti de la cuisse de Jupiter !

— C'est contraire à mes principes, reprit-elle fermement. Et vu la situation, je n'ai pas de temps à perdre à ces jeux-là.

— Qu'est-ce qu'un jour ou deux d'attente, si tu parviens à tes fins ? objecta Linda.

Mais voyant l'expression obstinée de son amie, elle se fit plus conciliante :

— Ecoute, je sais que ce n'est pas ton style. Tu es la personne la plus directe et la plus franche qui soit. Mais la situation que tu affrontes n'a rien d'ordinaire. Ce qui arrive à ta famille est terrible, dramatique. Si tu veux mettre un terme à tant de souffrance, tu dois te concentrer sur la seule chose qui compte : retrouver ta nièce et faire tomber Kirk Thayer entre les mains de la justice. Peu importe le reste.

Melissa médita un instant ces arguments. Puis, trop réaliste pour ne pas convenir que Linda parlait juste, elle concéda :

— Soit, tu as raison. S'il faut flatter Mac Sullivan pour le convaincre, je lui passerai la brosse à reluire autant qu'il faudra.

— Je te souhaite bonne chance pour réussir. Car tu en auras besoin, crois-moi !

Après plusieurs semaines de temps chaud et sec, l'océan demeurait glacial, même à la mi-août, et Mac devait porter une combinaison de protection pour chevaucher sa planche de surf.

En outre, les vagues très tumultueuses, cet après-midi-là, le contraignaient à se concentrer plus que de coutume sur ses gestes.

Ce fut sans doute pourquoi il ne s'aperçut pas qu'une intruse avait pénétré sur son territoire. Ebloui par le miroitement du soleil sur les vagues, il n'en prit conscience qu'au moment où elle l'aborda, tandis que, sa planche sous le bras, il s'apprêtait à gravir le perron de sa demeure.

— Faites attention ! l'interpella-t-elle. Vous avez failli me heurter la tête avec votre planche !

— Si vous regardiez où vous mettez les pieds, vous auriez évité ce danger, répliqua-t-il. Vous êtes sur une propriété privée !

— Comment aurais-je pu le savoir ?

D'un mouvement du menton, il lui désigna les pancartes fixées au tronc noueux des pins qui bordaient la dune.

— En lisant ! Mais ça ne fait sans doute pas partie de vos capacités ? ironisa-t-il.

Il y voyait plus net, à présent, et il enregistra avec amusement le sursaut scandalisé de l'intruse.

— On m'avait dit que vous n'étiez pas très accueillant, répliqua-t-elle, mais je ne m'attendais tout de même pas à trouver l'homme de Neanderthal !

— Puisque vous voilà fixée, qu'est-ce que vous attendez pour décamper et me laisser grogner tranquillement dans ma caverne ? rétorqua-t-il.

Tandis qu'elle en demeurait coite, il s'accorda le temps de la détailler.

Elle avait des yeux bleu-vert, presque de la couleur de l'océan, des cheveux courts, blonds et bouclés, qui encadraient un visage en forme de cœur, une bouche aux lèvres pleines et au pli volontaire, des jambes minces, et une ossature fine.

Elle ne devait pas dépasser le mètre soixante, ni les cinquante kilos, ni les vingt-cinq ans malgré son air soucieux, estima-t-il grâce à son don d'observation aiguisé par onze années passées dans la police.

— Alors ? s'enquit-il.

Elle baissa les yeux.

— Désolée. Je n'avais pas vu les pancartes.

— Elles sont pourtant faites pour attirer l'attention !

Elle parut méditer un instant l'argument, et finalement lui décocha un sourire trop flatteur pour être honnête.

— Pas autant que vous ! lança-t-elle. J'étais captivée par vos prouesses. Vous êtes stupéfiant, sur une planche.

— D'autres me l'ont déjà dit... plus subtilement que vous.

Elle se mit à rougir, telle une gamine surprise à piquer des confitures.

— Je ne cherchais nullement à flirter avec vous.

— Oh si ! Vous n'êtes pas très bonne à ce jeu-là, voilà tout. Alors, si vous me disiez le motif de votre venue, qu'on en finisse ?

— J'ai besoin de votre aide. Ma sœur est au bout du rouleau. Sa petite fille a disparu. C'est le père qui a enlevé le bébé.

Mac retint un soupir et se tourna vers l'océan, préférant la contemplation du ressac à celle de la misère humaine qui semblait toujours vouloir se rappeler à lui.

— Il a dû l'emmener pour la journée, rétorqua-t-il, volontairement cynique. Il reviendra dès qu'il faudra changer sa couche.

— Vous ne comprenez pas. Il n'est pas marié avec ma sœur, ils ne vivent pas ensemble. Il a volé l'enfant à la maternité le jour de sa naissance, voici bientôt deux mois. Et depuis, personne n'a entendu parler de lui.

— Il y a longtemps que vous auriez dû alerter la police.

— Nous l'avons fait, monsieur Sullivan, mais ça n'a rien donné.

La voix de la jeune femme trahissait maintenant un franc désespoir, et Mac se sentit ébranlé dans sa tranquillité d'esprit.

— Qu'est-ce qui vous fait croire que je ferai mieux ?

— Votre réputation parle pour vous.

Mal à l'aise, Mac détourna le regard.

En fait, il n'était guère facile à émouvoir, vu le fichu métier qui avait été le sien. Mais la disparition d'un nourisson arraché dès la naissance aux bras de sa mère ravivait chez lui une vieille blessure que le temps ne semblait pas avoir cicatrisée.

— Vous êtes mal renseignée, dit-il pourtant d'une voix dénuée d'émotion. Sinon, vous sauriez que j'ai quitté la police depuis trois ans. Mais il existe d'excellents enquêteurs privés, et je suis tout disposé à vous recommander l'un d'eux.

— C'est vous que je veux, personne d'autre.

— Vous perdez votre temps. Je ne peux pas vous aider.

— Vous ne pouvez pas ou vous ne voulez pas ?

Il fit volte-face, hanté par le fantôme d'un autre enfant disparu…

— Ecoutez, mademoiselle…

— Carr. Melissa Carr. Et ma nièce s'appelle Angela. Elle pesait quatre kilos et demi à la naissance. Mais elle a dû beaucoup changer depuis. Sa mère ne sait pas si on la soigne comme il faut… si… si elle est encore vivante.

— Si c'est le père qui l'a enlevée, elle se porte probablement bien. Pourquoi lui ferait-il du mal ?

— Il l'a bien kidnappée !

— J'imagine qu'ils avaient rompu, la mère et lui ?

Melissa acquiesça.

— Oui, deux mois avant la naissance de la petite.

— C'est le premier enfant de votre sœur ?

— Oui, mais le deuxième pour Kirk. Il a un fils d'un premier mariage qui vit en Australie avec sa mère. Lors du divorce, son ex-femme a obtenu l'autorisation de rentrer dans son pays natal avec l'enfant.

— Cela explique sans doute pas mal de choses. Il a dû avoir peur d'être séparé de son deuxième enfant.

— Je me fiche des explications, monsieur Sullivan ! s'écria Melissa. Ce qui m'importe, c'est ma sœur qui est au bord de l'effondrement total. Et un bébé de quelques semaines qui est aux mains d'un déséquilibré. Si vous aviez un tant soit peu de compassion, cela vous inquiéterait tout comme moi !

— Désolé, mais je ne peux pas porter tous les problèmes de l'univers sur mes épaules. Je vous suggère donc d'engager un enquêteur spécialisé dans la recherche des personnes disparues, et ce sans plus tarder, répondit Mac, avec lassitude.

Puis, bien décidé à lui prouver qu'il ne s'impliquerait pas dans cette affaire, il rentra chez lui, la plantant là.

Ainsi donc, c'était un échec sur toute la ligne, pensa Melissa, anéantie. Mais aussi, pourquoi Linda ne lui avait-elle pas dit que Mac Sullivan n'avait rien d'un homme ordinaire ? Pourquoi ne lui avait-elle pas dit qu'il avait le visage d'un ange déchu, le corps d'un demi-dieu, et une voix veloutée à faire fondre les femmes ?

Furieuse de s'être révélée si émotive et vulnérable, elle se passa nerveusement une main dans les cheveux.

Mais c'était elle qui était à blâmer, et non Linda, s'objecta-t-elle. Elle avait lu trop de polars mettant en scène des détectives en imper à la voix rocailleuse, sirotant un petit noir tout en débitant leurs droits aux coupables qu'ils venaient d'épingler.

Elle, qui s'était mise en route en se croyant capable de tout affronter, découvrait qu'elle n'était cuirassée contre rien — ni contre l'interminable voyage en voiture du Canada à l'Oregon, U.S.A., ni contre Mac Sullivan — et que tout à Trillium Cove contribuait à la déstabiliser.

Elle avait grandi à Vancouver, la plus grosse ville du Canada, et fait son apprentissage à New York, La Nouvelle-Orléans, Paris et Rome. Là-bas, elle s'était sentie cent fois plus à l'aise que sur cette côte sauvage bordée d'un côté par un océan tumultueux et, de l'autre, par d'immenses dunes de vingt pieds de haut. Mais alors qu'on la prenait pour une femme affranchie qui avait vu le monde, elle n'était ici qu'une étrangère, sur un coin de terre inhospitalier.

Et elle n'avait pas avancé d'un pouce dans la recherche du bébé de June, pensa-t-elle, accablée de lassitude. Elle avait été si sûre d'arriver à ses fins, pourtant ! Dire que durant son long trajet en voiture vers le sud, elle avait répété, peaufiné ce qu'elle dirait à Mac Sullivan... et tout cela pour se retrouver pétrifiée devant lui, fascinée par son physique, sa beauté sidérante, et tout le reste !

Bon sang, la fatigue avait dû lui troubler l'esprit ! pesta-t-elle intérieurement, consciente qu'elle n'avait à présent nul endroit où aller.

Déjà, le soleil déclinait, et elle savait qu'elle ne trouverait aucun hôtel à Trillium Cove. Le seul qu'elle eût déniché en explorant un peu la ville affichait complet ; elle n'avait pas aperçu non plus le moindre restaurant...

Alors, gagnée par le découragement, elle s'effondra sur le sable, les genoux entre ses bras repliés, tandis que son regard se perdait vers l'horizon désolé.

Bon sang ! fulminait Mac, cette femme allait donc rester là encore longtemps, telle une sirène échouée attendant que la marée montante la reprenne ?

Furieux, autant contre lui-même que contre la visiteuse inopportune, Mac se cala sur sa chaise longue et avala une gorgée de son whisky préféré.

D'habitude, cet instant de farniente dans le soleil couchant lui apportait un sentiment de bien-être comparable à nul autre.

Sauf quand une femme venait lui gâcher le paysage ! s'objecta-t-il, amer. D'ailleurs, il n'y avait pas de femme dans sa vie, si ce n'est occasionnellement, et lorsqu'il l'avait lui-même voulu ! Et il s'assurait alors qu'elle n'attendait rien de plus que ce qu'il était prêt à donner !

Véritablement irrité, il reposa son verre avec bruit et fixa d'un œil noir la femme qui se trouvait sur SA plage. Elle n'avait pas bougé d'un poil depuis une bonne demi-heure. Affaissée sur elle-même, elle était l'image même du désespoir.

Et ce qui le contrariait le plus, c'était qu'elle était parvenue à le culpabiliser.

Certes, se dit-il, si elle avait été en quête d'un mari en fuite ou d'un escroc, il l'aurait oubliée à la seconde. Mais il s'agissait d'un enfant, d'un bébé de quelques semaines… Il aurait fallu avoir le cœur bien endurci pour rester indifférent.

Et puis, il avait ce qu'il fallait pour aider cette femme : des relations haut placées auxquelles faire appel si nécessaire, une formation et une expérience adéquates.

En fait, s'avisa-t-il, s'il reculait devant cette affaire, c'était par peur. Oui, il avait peur : il redoutait qu'il ne fût trop tard, et que Melissa Carr n'eût à rapporter, au bout du compte, qu'un petit cercueil contenant les pauvres restes d'un enfant. Et il n'aurait pas supporté de revivre cela une seconde fois.

Alors qu'il s'était mis à arpenter nerveusement la véranda, il s'aperçut soudain qu'il n'y avait plus personne sur la plage.

Elle avait renoncé, grâce au ciel ! se dit-il, soulagé. Il allait pouvoir dîner en paix !

Et comme la soirée s'annonçait idéale, il décida d'allumer le barbecue qu'il avait installé sur le patio, devant la cuisine.

Il venait de sortir un steak du congélateur, et explorait le contenu du réfrigérateur en vue de préparer une salade, lorsqu'il entendit le heurtoir de sa porte d'entrée résonner faiblement contre le panneau de chêne : un tout petit bruit qui n'avait rien de hardi ou d'assuré.

Son sixième sens lui révéla aussitôt de quoi il s'agissait. Lâchant un juron étouffé, il alla ouvrir.

— Je vous en prie, implora-t-elle.

Et il se sentit perdu. Perdu dans le bleu-vert des yeux, obscurci par le crépuscule naissant ; perdu devant cette détresse timide plus poignante que les plus ardentes supplications.

Lui faisant signe d'entrer, il lâcha, sarcastique :

— J'aurais dû me douter que vous n'aviez pas le pouvoir de disparaître en un clin d'œil.

Mais la voyant pâle et tremblante, il s'empressa d'aller la soutenir.

— Quand avez-vous pris votre dernier repas ? demanda-t-il.

Elle parut réfléchir et balbutia :

— J'ai pris un café ce matin.

— Je parlais d'un vrai repas.

— Je ne sais plus. Hier soir, je suppose.

Lâchant un nouveau juron, il la poussa vers le canapé en cuir placé devant la cheminée.

— Asseyez-vous là !

Et d'autorité, il lui drapa sur les épaules le poncho que sa mère lui avait tricoté.

Et comme il ne pouvait résister à ses instincts protecteurs, il alla allumer les bûches qui attendaient dans la cheminée, et puis retourna dans la cuisine pour préparer un grog au rhum.

— Buvez ! lui dit-il quelques instants plus tard.

Mais recroquevillée dans un coin du canapé, elle dormait comme une enfant.

Alors, ne sachant s'il devait s'exaspérer ou être soulagé de ce répit, il alla s'adosser à la cheminée pour reconsidérer la situation d'un air perplexe...

Il était habitué à sa confortable intimité, où il n'avait de comptes à rendre qu'à lui-même. Pourtant, il conservait assez d'humanité pour se sentir ému par l'épreuve que cette jeune femme traversait. Il ne savait que trop à quel point ce genre de drame pouvait entamer un être humain !

Et puis il avait peur. Peur de sa réaction envers cette femme qui avait tant besoin d'un soutien. Peur aussi parce que c'était lui qu'elle avait choisi d'appeler à l'aide.

— Bon sang, grommela-t-il, pourquoi moi ? Pourquoi ai-je ouvert ma porte ?

Poussant un soupir, il retourna dans la cuisine et sortit un deuxième steak du congélateur.

Inutile de se bercer d'illusions, se dit-il. Elle était là pour un moment, et saurait tôt ou tard le rallier à sa cause.

2.

La sensation d'être observée — scrutée, même — s'immisça dans le sommeil de la jeune femme, accentuant l'atmosphère angoissante de danger qui imprégnait son rêve.

Aussi se redressa-t-elle en sursaut et regarda autour d'elle. En quelques secondes, elle capta la sensation de chaleur que lui procurait le lainage qui l'enveloppait, la lueur des flammes proches qui se reflétaient à gauche, sur les baies vitrées, le paysage de montagnes qui ornait le dessus de la cheminée, les grosses poutres du plafond, et la musique qui emplissait l'espace : un Nocturne de Chopin…

Puis elle vit le superbe visage hâlé qui lui faisait face, et les yeux couleur d'orage, froids et attentifs, qui la considéraient.

Il était assis dans un fauteuil, de l'autre côté de la cheminée de granit, un verre à la main. Il s'était douché et changé, depuis qu'il l'avait accueillie chez lui : ses cheveux noirs luisaient, sa chemise d'une couleur identique à ses yeux avait encore les plis du repassage, son pantalon noir à pinces lui donnait un air décontracté, et son eau de toilette fleurait bon la lavande.

Nonchalant et détendu, aurait-on pu penser en le voyant. Mais il n'y avait aucune désinvolture dans l'examen qu'il lui faisait subir, et elle était sûre qu'en cas de besoin, Mac Sullivan aurait bondi hors de son fauteuil comme un fauve. On sentait en lui une intelligence intimidante, et un détachement qui donnait le frisson.

— Combien de temps ai-je dormi ? demanda-t-elle d'une voix enrouée.

— Près d'une heure.

— Vous auriez dû me réveiller.

— Pourquoi ?

— Parce que…

Mais ne trouvant pas de raison, elle se tut. Elle aurait aimé qu'il cesse de l'observer comme il le faisait, tant il lui donnait la désagréable impression d'être un insecte sous un microscope.

Il avala une gorgée du liquide contenu dans son verre, puis énonça d'un ton qui sonnait plutôt comme un ordre :

— Vous avez sûrement envie de vous rafraîchir un peu. Il y a une salle de bains à droite de la porte d'entrée.

Au lieu de se rebeller contre cette attitude autoritaire, ainsi qu'elle l'aurait fait normalement, elle céda aux injonctions de la nature qui se faisaient fortement entendre. Il y avait des heures qu'elle n'était allée aux toilettes.

Elle se leva avec difficulté et, ayant trébuché dès le premier pas, dit en guise d'excuse :

— J'ai des fourmis dans les jambes.

La salle de bains portait aussi l'empreinte de l'élégance opulente et toute masculine qui régnait dans le salon. Marbre clair au sol, accessoires en porcelaine vert sombre et cuivre patiné, serviettes noires. En se regardant dans le miroir ovale qui surmontait le labavo, elle vit sa mine défaite et ses cheveux décoiffés.

Il n'était pas étonnant qu'il l'eût ainsi dévisagée ! pensa-t-elle avant de s'asperger d'eau fraîche.

— Vous en avez mis du temps ! lui reprocha-t-il quand elle fut de retour. Les hommes sont deux fois plus rapides que les femmes.

— Parce qu'ils ont moitié moins de cheveux, quand ils ne sont pas chauves ! répliqua-t-elle sans réfléchir.

Puis elle rougit tandis qu'il éclatait de rire.

— Tenez, dit-il en lui tendant un gobelet fumant rempli de liquide, ça vous réchauffera et ça vous mettra peut-être de meilleure humeur.

— Qu'est-ce que c'est ? demanda-t-elle avec méfiance.

— Un grog au rhum. Je viens de le réchauffer.

— Je n'aime pas le rhum.

— Et moi, je n'aime pas les chiens errants qui viennent se payer une pneumonie sous mon toit. Buvez. Vous n'êtes pas assez couverte pour le temps qu'il fait ici le soir.

— Je n'ai pas froid.

— Alors, demanda-t-il en lui effleurant le bras d'un doigt, pourquoi avez-vous la chair de poule ?

« Parce que vous me touchez », pensa-t-elle sans pouvoir réprimer un frisson, avant de répondre en haussant les épaules :

— Une réaction nerveuse, je suppose. Cela arrive.

— Quoi qu'il en soit, je ne veux pas prendre de risques.

Il la drapa de nouveau dans le poncho et la réinstalla d'autorité auprès du feu.

— Restez un moment au chaud pendant que je prépare le dîner. Vous consommez de la viande ?

— Cela changerait quelque chose, si je disais non ?

— Pas du tout ! répliqua-t-il gaiement. Je mange un steak avec une pomme de terre au four, des champignons sautés et de la salade. Vous pouvez partager mon repas ou me regarder dîner.

— Un steak, ça me va, lâcha-t-elle.

Et elle se demanda pourquoi elle laissait libre cours à l'agressivité irrépressible qui la dressait contre lui au lieu de chercher à l'amadouer pour obtenir sa coopération.

— Merci de m'inviter, murmura-t-elle.

Il se mit à rire de nouveau, mais sans gentillesse, cette fois.

— Comme si j'avais le choix ! A point, ça vous va ?

— Parfait.

Le feu la réchauffait, le grog qu'il avait préparé était agréablement savoureux. Au-delà de l'arche voûtée, à l'autre bout de la pièce, elle entendait aller et venir Mac Sullivan, tandis qu'il entrechoquait les ustensiles, et ces bruits familiers lui apportaient un curieux réconfort, celui du retour à un semblant de normalité après des semaines d'angoisse.

Puis voyant que le soleil couchant dessinait, sur le mur du fond, des raies couleur céladon et pêche, elle prit son grog au creux des mains et gagna la baie vitrée qui donnait sur l'océan.

La vue était à couper le souffle. Ce n'était que sable et mer, falaises, pins courbés par le vent. On aurait pu contempler cet horizon infiniment, sans jamais se lasser du spectacle, et elle ne s'étonna pas que son hôte eût élu cet endroit pour retraite.

Quant à la pièce où elle se trouvait, elle n'était pas moins spectaculaire. « Il est plein aux as », avait dit Linda. Ce n'était pas exagéré. Il y avait, en plus du paysage de montagnes qu'elle avait déjà remarqué au-dessus de la cheminée, d'autres toiles au mur, ainsi que des aquarelles.

Quant aux bibelots, ils révélaient le tempérament du maître des lieux : une statuette de jade représentant une femme aux bras levés, une panthère prête à bondir, en onyx, un grand bol de cuivre martelé où gisaient des coquillages ramassés sur le sable et un grand samovar.

Des kilims anciens, aux tons à la fois éclatants et sourds, apportaient leur note colorée sur le parquet de bois clair. Le cuir des fauteuils avait la volupté du velours, et la vaste table de repas, patinée par les ans, luisait doucement dans la lumière du crépuscule.

— Vous vivez ici depuis longtemps ? lui demanda-t-elle après s'être rapprochée de l'arche voûtée pour le regarder opérer alors qu'il préparait une vinaigrette.

— Depuis bientôt quatre ans.

— C'est une très belle maison. Vous avez eu de la chance de la trouver.

— Je ne l'ai pas trouvée. J'ai déniché le terrain, et je l'ai fait bâtir à mon goût.

— Oh ! ponctua-t-elle en enrobant d'un coup d'œil expert les installations de la cuisine. C'est vous qui avez tout conçu ?

— De A à Z.

— Je suis impressionnée. La plupart des hommes n'ont pas votre sens du détail.

— Question d'habitude. Dans mon métier, il fallait savoir prêter attention au moindre détail. C'est capital dans la résolution d'une affaire criminelle. Vous comptez passer la nuit avec quelqu'un, ce soir ?

— Pardon ? balbutia-t-elle, interloquée par ce brusque tour de la conversation.

— Je vous ai demandé si…

— J'ai entendu ! En quoi est-ce que ça vous regarde ?

— Dans la mesure où je n'ai nul désir de partager mon lit avec vous, oui cela me concerne.

— Evidemment, vu sous cet angle…

D'un geste incisif, il abattit la lame d'un couteau sur la gousse d'ail posée sur le plan de travail, et dit :

— J'adore ça, j'en mets en quantité dans mes salades. Mais si vous avez un rendez-vous galant, vous préférerez peut-être…

— Je dors seule, ce soir.

— Ah ! oui ? Où ça ?

— Je n'ai pas décidé.

Il s'interrompit dans sa tâche et, une nouvelle fois, la soumit à un examen aussi intense que délibéré, comme s'il venait de découvrir qu'elle était entièrement dépourvue de cervelle.

— Etes-vous en train de me dire que vous n'avez pas réservé de chambre d'hôtel ?

— Pas encore, admit-elle d'un air qui se voulait dégagé.

— Pas encore ? Autrement dit, vous n'avez pas la moindre idée de l'endroit où vous logerez ce soir.

Agacée, elle répliqua :

— Je ne suis pas idiote. Je sais pertinemment que je ne trouverai pas de chambre à Trillium Cove, si c'est ce que vous essayez de me faire comprendre !

— Félicitations, ironisa-t-il. Et êtes-vous également consciente du fait qu'en pleine saison touristique, vous n'en trouverez pas davantage à cent kilomètres à la ronde ?

— Eh bien ! je dormirai dans ma voiture.

— Si vous cherchez à m'apitoyer, c'est peine perdue. Il y a pire que de dormir en voiture. Demandez un peu aux SDF qui peuplent les parcs publics.

Il tira des assiettes et des couverts d'un placard, et les poussa vers elle.

— Tenez, rendez-vous utile. Mettez le couvert. Vous trouverez les dessous de table et le reste dans le buffet du living.

— Votre mère ne vous a pas appris à dire « s'il vous plaît » ? lui lança-t-elle d'un ton acerbe. Elle trouvait ça superflu ?

Elle eut droit à un sourire sarcastique — et néanmoins magnifique.

— Je suis un homme des cavernes, l'auriez-vous oublié ? Et laissez ma mère en dehors de ça. Elle a élevé cinq enfants sans en égarer un seul. On ne peut pas en dire autant de votre famille.

Sans doute ne l'avait-elle pas volé, pensa-t-elle. Mais ça faisait mal à entendre. Et cela la ramenait brutalement au but de sa présence en ces lieux. Si elle voulait obtenir l'aide de cet homme, elle avait intérêt à se montrer plus conciliante.

— Excusez-moi, dit-elle, ravalant son irritation. Je n'aurais pas dû m'en prendre à votre mère. C'est sûrement quelqu'un de très bien.

— En effet. Et je n'aurais pas dû vous sortir une énormité pareille. Alors, nous sommes à égalité. Un chiraz de Californie, ça vous tente ?

Décidément, pensa-t-elle, il a le don de passer du coq à l'âne !

— Pour boire, vous voulez dire ?

— Non, la belle ! Pour cirer les chaussures ! ironisa-t-il en levant les yeux au ciel. Evidemment, pour boire. A moins que vous ne détestiez ça autant que le rhum. Que, soit dit en passant, vous avez avalé jusqu'à la dernière goutte.

— J'apprécie le chiraz. Tout comme le pinot noir et le cabernet sauvignon. Et vous pouvez m'appeler Melissa. Ou bien Mademoiselle Carr.

— Mettons les choses au clair : Un, je suis chez moi, ici ; deux, je ne vous ai pas invitée ; trois : je ne reçois d'ordres de personne, et surtout pas d'une parfaite étrangère qui sollicite une faveur. N'oubliez jamais ça, la belle !

Pendant quelques secondes, elle le toisa d'un œil noir, retenant à grand-peine une réplique acerbe.

Mais nullement impressionné, il se mit à lui sourire d'un air désarmant.

— Ne dites rien, Melissa. Vous le regretterez ensuite. Et ne serrez pas les mâchoires comme ça, vous faites penser à un chien prêt à mordre.

— Un rottweiler, j'espère ! Pour mieux vous égorger !

Il éclata de rire.

Et comme elle fulminait intérieurement à la pensée qu'il s'amusait à ses dépens, il en rajouta :

— Ne prenez pas vos désirs pour des réalités : vous n'avez pas l'arrière-train qu'il faut.

Elle portait un short, étroit aux hanches et très court, qui révélait pleinement ses jambes. Et, au regard que Mac Sullivan portait sur elle, elle vit que le spectacle lui plaisait.

Sottement flattée, elle se sentit rougir.

— Un point partout ! dit-il avec un rien de suffisance. Et maintenant, allez mettre le couvert. Je vais faire griller les steaks. Oh ! une dernière chose : si vous en êtes capable sans vous trancher un doigt ou deux, coupez donc du pain.

Elle le foudroya du regard tandis qu'il lui tournait le dos.

S'il continuait à la provoquer comme ça, c'était lui qu'elle découperait en tranches, se dit-elle en serrant les dents d'agacement.

Le steak était cuit à la perfection, les pommes de terre tendres et savoureuses, et les champignons sautés au beurre et flambés au porto mettaient l'eau à la bouche.

— Vous cuisinez bien, dit-elle.

— Je sais, répliqua-t-il sans une once de modestie.

— C'est à cette table que vous mangez quand vous êtes seul ?

— Non, railla-t-il. Quand personne ne me voit, je me mets à genoux et je lape à même mon bol.

— Inutile d'être sarcastique et grossier ! Si je vous ai posé la question, c'est que tout est vaste, ici. Et on m'a pourtant dit que vous n'étiez pas du genre à donner des soirées.

— Vous avez mené une enquête avant de venir me trouver, n'est-ce pas ?

— Je sais que vous êtes une sorte d'ermite et que vous n'avez pas beaucoup d'amis.

— J'ai des amis, Melissa. Pas beaucoup, je l'admets. Je suis quelqu'un d'exigeant. Quant au mobilier, il a appartenu à ma grand-mère, puis à ma mère ensuite. Nous étions nombreux à table, en famille.

Elle trouva révélateur, de la part d'un homme qui passait pour un misanthrope, qu'il ait mentionné deux fois sa famille, et avec une affection évidente.

— Vous avez cinq frères et sœurs, disiez-vous ?

— Ma mère a eu cinq garçons, rectifia-t-il.

— Qu'elle a élevés seule ? Bon sang, il faut croire qu'elle a de l'énergie à revendre !

— Elle n'a pas eu le choix. Mon père est mort avant la naissance de mon plus jeune frère.

— Mon Dieu ! Que s'est-il passé ?

— Vous êtes du genre fouineur, pas vrai ?

— Je ne voudrais pas paraître dénuée de tact. Mais votre histoire est… émouvante.

Elle s'arrêta abruptement, renonçant à évoquer davantage une situation qui la ramenait à la sienne.

— Mon père était officier de police, tué dans l'accomplissement de son devoir.

— C'est pour ça que vous êtes entré dans la police ?

— Oui, dit-il avec brusquerie. C'était mon héros. J'avais dix ans quand il est mort, et je me souviens très bien de lui. C'était un homme bien et un bon père. Les parents de ma mère, qui étaient des aristocrates fortunés, n'ont jamais compris pourquoi elle avait épousé un flic alors qu'elle aurait pu faire un « beau mariage ». Mais mon père et ma mère s'adoraient.

— Elle ne s'est jamais remariée ?

— Avec cinq garçons ? railla-t-il. Mes grands-parents maternels ont bien essayé de la « caser » après son veuvage, mais les candidats qu'ils avaient choisis n'avaient nulle envie d'adopter sa petite bande de chenapans. Et elle n'avait nulle envie de retrouver un mari. Elle prétendait qu'elle avait eu le meilleur homme du monde et qu'il était irremplaçable. Que seuls ses enfants pourraient rivaliser avec lui, car ils lui ressemblaient beaucoup.

Emue malgré elle, Melissa commenta :

— C'est une histoire plutôt triste mais belle. Cela m'amène à regretter d'autant plus la réflexion que je vous ai faite tout à l'heure. Votre mère doit être quelqu'un de vraiment remarquable.

Comme son hôte demeurait songeur, elle l'observa à la dérobée, et se demanda s'il brandissait un 7.65 avec autant d'élégance qu'il levait son verre. La réponse était sans doute oui. Elle aurait parié que, même dans les circonstances les plus dures, il avait de la classe et du style. Peut-être avait-il hérité du physique de son père, mais tout, dans son port et ses manières, dans ses goûts, révélait ses ascendances aristocratiques du côté maternel. Sous ses dehors parfois abrupts, c'était au fond un gentleman.

— Ma mère était plus que remarquable, répliqua-t-il finalement. Et maintenant, parlons un peu de vous. Avez-vous d'autres frères et sœurs, en dehors de cette June dont vous m'avez parlé ?

— Non.

— Laquelle de vous deux est l'aînée ?

— Moi. De six ans.

— Donc, elle a environ vingt ans.

— Vingt-deux.

— Un âge suffisant pour savoir se tenir à l'écart d'un pervers capable d'enlever un bébé.

Melissa, qui s'était radoucie en découvrant une facette plus humaine du caractère de cet homme horripilant, sentit sa colère se ranimer.

— Vous n'avez pas apprécié que je critique votre mère sans la connaître, je n'apprécie pas davantage que vous fassiez de même envers ma sœur !

— Mais je sais déjà quelque chose sur elle, rectifia-t-il, imperturbable. Je sais qu'elle est mère célibataire et que ses relations avec le père de l'enfant n'ont pas duré. Elle a sûrement été trop gâtée dans son enfance et se voit toujours en cadette choyée. Quand les choses ont mal tourné avec son ami, elle est revenue se faire dorloter par papa et maman.

— Et comment aboutissez-vous à cette conclusion ?

— La mère de l'enfant disparu n'étant pas elle-même venue me voir, deux conclusions s'offrent à moi : ou elle est insensible ou elle est du genre passif, incapable de réagir, et elle s'en remet à quelqu'un d'autre pour intervenir à sa place, fit Mac avec un haussement d'épaules. Pas besoin d'être bien malin pour une telle déduction.

Piquée par tant d'arrogance, et par le fait qu'il avait saisi le caractère de June avec une étrange précision en dépit du peu d'informations dont il disposait, Melissa s'exclama ironiquement :

— Quelle chance d'avoir des dons pareils !

— Cela n'a rien d'un don. Je suis suffisamment intelligent pour capter les signes révélateurs, c'est tout. Tenez, si je considère votre cas, par exemple…

Mal à l'aise à l'idée d'être soumise à son examen trop perspicace, elle l'interrompit aussitôt :

— C'est inutile.

— C'était juste une façon de parler, la belle, alors détendez-vous, lui répliqua-t-il avec un sourire à lui chavirer le cœur. Vous n'êtes pas du tout mon genre. Quoique… dans d'autres circonstances, je pourrais vous trouver satisfaisante.

Satisfaisante ! se répéta-t-elle, tellement outrée qu'elle faillit s'étrangler sur la bouchée qu'elle était en train d'avaler.

Feignant l'inquiétude, il proposa aussitôt :

— Je vais vous chercher un verre d'eau ? Ou faut-il tenter le bouche-à-bouche ?

— Bas les pattes ! répliqua-t-elle. Et pour votre information, vous n'êtes pas mon genre non plus.

— Vraiment ? Nous verrons… D'ici là, et pour en revenir à notre discussion, vous êtes à l'opposé de votre sœur : agressive, têtue, impulsive.

— Et d'où tirez-vous ça ?

— Vous êtes ici, non ? Et vous vous donnez un sacré mal pour me persuader de vous aider en dépit de ma rebuffade.

— C'est une évidence.

— Pourtant, si c'était VOTRE enfant qui avait disparu, je doute que votre sœur serait ici à votre place. D'abord, parce que vous n'iriez jamais confier cette responsabilité à quelqu'un d'autre ; mais aussi parce qu'elle n'aurait pas assez de cran pour ça. Je suis sûr qu'elle excelle à pleurnicher, à se tordre les mains de désespoir et à s'attirer la compassion, mais qu'elle n'est d'aucun secours en situation de crise. Vous, en revanche, vous partez bille en tête, sans même vous préoccuper d'assurer vos arrières pour le cas où votre tentative viendrait à échouer.

Là-dessus, Mac prit le temps de siroter une gorgée de vin.

— Eh bien ! lança-t-il comme elle restait interloquée, je m'en tire comment, jusqu'ici ?

A quoi bon mentir ? pensa-t-elle avant de concéder :

— Remarquablement bien, je suppose.

— Quoi ? Pas plus de réaction que ça ? s'exclama-t-il en jouant la surprise. Vous ne m'écharpez pas parce que j'accable votre malheureuse sœur de méchancetés ? Vous ne brisez pas quelques assiettes ?

— Je m'en voudrais de détruire de si belles porcelaines. Elles vous viennent de votre grand-mère, elles aussi ?

— Oui. Et ne détournez pas la conversation. Ai-je vu juste, en ce qui concerne votre sœur ?

Vaincue, elle reconnut sa défaite :

— Vous avez mis en plein dans le mille. June n'a pas ma force, c'est vrai. C'est une nature douce et passive, qui a les conflits en horreur. Les choses ont dû vraiment dégénérer entre elle et Kirk pour qu'elle l'ait plaqué alors qu'elle était enceinte de lui.

— Qu'est-ce que vous pensez du Kirk en question ?

— Je ne le connais que par ouï-dire. Elle l'a rencontré lorsque j'étais en Europe. J'ai vu des photos de lui, je sais qu'il est américain, qu'il semble avoir de l'argent et qu'il travaille dans l'informatique. Mais je ne l'ai jamais rencontré.

— Alors, vous ne serez pas d'un grand secours pour le retrouver, n'est-ce pas ?

— Exact, monsieur Sullivan. C'est pourquoi je m'en remets à vous.

— Vous auriez plus de chances d'obtenir ce que vous me demandez si vous renonciez à cet agaçant « monsieur Sullivan ». Je m'appelle Mac.

— J'essaierai de m'en souvenir. Et je suis sûre que vous n'oublierez pas de m'appeler Melissa, la prochaine fois que vous me sifflerez !

— Je parie que vous êtes infirmière. Vous avez tout à fait l'air de quelqu'un qui adore se venger d'un homme en lui plantant une aiguille dans le derrière alors qu'il est à votre merci.

— Navrée de vous décevoir, mais votre infaillible instinct vous induit en erreur : je ne suis pas infirmière. En revanche, je dois vous avertir que je joue plutôt bien du couteau et que je ne vous permettrai pas de traîner ma sœur dans la boue. Elle a peut-être manqué de discernement, mais c'est sa seule faute.

— Vous ne pouvez pas non plus passer votre temps à l'épargner. Pour être de quelque utilité, j'ai besoin de tout savoir sur elle : les failles et les défauts autant que les points positifs. Et je dois vous dire que jusqu'ici, je ne vois pas grand-chose de positif.

Quel homme dur et inflexible ! pensa Melissa en considérant l'éclat froid du regard qui la jaugeait.

— Vous n'avez jamais commis d'erreur dans votre vie personnelle ? riposta-t-elle.

— Si, répondit-il sans émotion. J'ai commis une énorme erreur en m'imaginant que le mariage et le métier de flic pouvaient aller de pair.

— Vous êtes marié ? lâcha-t-elle.

Cette possibilité la contrariait de façon tout à fait inattendue. Il semblait si indépendant, si... célibataire ! Et pourtant, était-il possible qu'un homme pareil n'ait pas une femme dans sa vie ?

Il eut un sourire qui la frappa par sa tendresse, lorsqu'il répondit :

— Je ne le suis plus.

— Vous tenez encore à votre ex ?

— Bien sûr. Pourquoi ?

— Parce que vous avez divorcé.

— Cela ne signifie pas qu'elle est à blâmer. C'est la vie commune qui n'a pas fonctionné. Et si j'avais choisi une garce finie pour épouse, ça ne plaiderait guère en faveur de mes capacités de jugement.

— Vous continuez à la voir ?

— Parfois. Nous nous appelons à l'occasion des fêtes ou anniversaires, et elle me téléphone quand je reste trop longtemps sans donner signe de vie, pour m'empêcher de virer à l'ermite. Je la conseille sans qu'elle me le demande sur les hommes de sa vie, et je l'emmène dîner lorsque je me retrouve dans les parages de sa maison.

— Ça me dépasse, avoua Melissa. Pour moi, le divorce se rattache à tout ce qu'il y a de plus… horrible dans la vie.

Mac la dévisagea avec curiosité.

— Quelle est votre expérience dans ce domaine ?

— Mes parents se sont séparés lorsque j'étais gamine. Je n'ai aucune nouvelle de mon père depuis des années. Est-ce que vous êtes toujours l'amant de votre ex-femme ?

Cette question était sortie de sa bouche comme malgré elle, et elle fut stupéfaite de l'avoir posée. Elle aurait donné n'importe quoi pour pouvoir la ravaler !

— Qu'est-ce qu'il y a, la belle ? Je croyais que vous vouliez obtenir mon aide, et non me questionner sur ma vie sexuelle. Au fait, vous avez fini votre plat ?

— Oui, merci, marmonna-t-elle, au comble de l'embarras. C'était délicieux.

— Vous êtes bien bonne d'en convenir. Ai-je précisé, lorsque nous avons établi les règles de cette maison, que celui qui n'a pas fait la cuisine doit se charger de la vaisselle ?

— Vous semblez avoir beaucoup de règles !

— Je les invente au fur et à mesure, surtout lorsque j'ai affaire à des invités imposés.

— Eh bien, répliqua-t-elle sur le même ton, il vous est facile de vous débarrasser de moi : acceptez de rechercher ma nièce, et je m'en irai.

— Et si je refuse ?

— Je ne bougerai pas d'ici.

— Vous oubliez qu'en l'occurrence, je devrai vous supporter quelle que soit ma réponse, puisque vous n'avez pas de chambre d'hôtel pour la nuit.

Un élan d'espoir la traversa.

— Dois-je comprendre que vous acceptez l'affaire ?

Lui opposant une expression indéchiffrable, il prit tout son temps pour répondre :

— Je suis prêt à envisager la chose. Mais uniquement parce qu'il s'agit d'un nourrisson sans défense.

— Oh, merci ! s'écria-t-elle d'une voix vibrant d'émotion. Mille fois merci, Mac ! Vous ne pouvez pas savoir comme je vous suis reconnaissante ! Le mieux, pour commencer…

Il lui cloua le bec d'un geste impérieux.

— Stop ! Je vais être clair : si j'accepte de me charger de cette affaire, c'est moi qui déciderai par où commencer. C'est moi qui mènerai la barque, et non vous ou votre famille. Je comprends votre inquiétude, mais vous n'avez ni les relations ni l'expérience nécessaires pour agir. Cela ne vaut, je le répète, que pour le cas où je déciderais d'accepter l'affaire.

— Que dois-je faire pour faire pencher la balance en ma faveur ?

Il sourit, d'un sourire qu'elle aurait pu trouver trop beau pour être honnête.

— Je vous dirai ça quand j'aurai pris ma décision, lâcha-t-il en se levant nonchalamment pour gagner le canapé. D'ici là, faites donc la vaisselle.

3.

Mac étendit les jambes devant le feu et, tête renversée vers les magnifiques poutres du plafond, il songea aux tenants et aboutissants de sa décision.

Il allait prendre cette affaire en main.

Mais non parce que cette fille lui plaisait, non parce qu'elle était débordante de vie et que cette énergie le stimulait, non parce qu'il y avait entre eux une attirance sensuelle qu'il avait ouvertement niée mais admettait en son for intérieur. Car c'étaient là de trop mauvaises raisons pour accepter une enquête — surtout dans une situation aussi compromise.

Mais parce qu'il parviendrait peut-être à chasser le fantôme de l'enfant qui le hantait, s'il parvenait à rendre ce nourrisson disparu à sa mère. Oui peut-être que dans ce cas, il pourrait faire battre en retraite le sentiment de culpabilité qui le rongeait encore, trois ans après…

Et s'il échouait une seconde fois ?

Il ferma les yeux, comme pour se fermer à cette hypothèse. Aussitôt, les images familières se présentèrent à son esprit. Il revécut la sensation glaçante, prémonitoire, qu'il avait éprouvée en ouvrant le coffre de la voiture abandonnée. Il revit la couverture bleu pâle, le petit pied qui en dépassait. Il eut encore ce goût amer à la bouche, né d'un mélange de fureur et d'impuissance. Il réentendit les sanglots déchirants d'une mère dans une nursery déserte, la voix brisée d'un père…

— Vous dormez ? fit Melissa, l'arrachant à sa rêverie.

Aussitôt, en lui s'éveilla le vieux réflexe de policier : se rendre impénétrable à l'autre, tout en déployant des capteurs pour saisir l'environnement.

Il se leva avec une indolence feinte, en répliquant :

— Avec tout le raffut que vous faites ? Je me demandais seulement si j'allais vous laisser dormir dans votre voiture ou si j'allais agir en gentleman et vous offrir mon lit. Sans moi dedans, bien entendu.

— Vous allez agir en gentleman, dit-elle avec un sourire trop doux pour ne pas être perturbant.

— Vous êtes bien catégorique.

— J'ai fait le tour de ce que vous êtes !

— N'en soyez pas si sûre ! Je ne suis pas si facile que ça à déchiffrer. Vous avez terminé de ranger la cuisine ?

— Oui. Vous voulez passer l'inspection ?

— Non, je vous crois sur parole. Savez-vous faire un café noir digne de ce nom ?

— Je peux essayer, dit-elle docilement. Avec vos instructions.

— Huit mesures de moulu extra-fin pour six mesures d'eau. Vous trouverez ce qu'il faut dans le buffet.

Elle s'inclina plaisamment.

— Bien monsieur, à vos ordres. Monsieur désire-t-il autre chose ?

— Oui. Disparaissez avant que je change d'avis et vous flanque à la porte. Vous commencez à me taper sur le système !

Elle disparut en un éclair, et il profita d'être debout pour sortir une bouteille du cabinet à liqueurs.

— Vous êtes enfin bonne à quelque chose, commenta-t-il un instant plus tard en savourant la tasse qu'elle lui avait servie. Vous prenez un cognac avec moi ?

— Volontiers. Mais juste un peu. J'ai eu une longue journée, et je ne tiens pas à m'effondrer une nouvelle fois dans les bras de Morphée.

Il la servit tout en disant :

— J'ai réfléchi à une chose ou deux.

Assise à l'autre bout du canapé, elle attendit, le verre entre ses mains. Ses yeux étaient immenses, dans son visage. Il en nota une nouvelle fois la couleur saisissante, bleu-vert, que ses cils bruns faisaient paraître plus transparents encore.

— Etes-vous une blonde naturelle ?

Elle demeura interloquée.

— C'est à ça que vous pensiez ?

— Non. Je me posais la question, c'est tout.

— Oui, je suis naturellement blonde. Qu'est-ce que ça change ?

— Rien du tout. Vous pouvez quand même coucher dans mon lit ce soir. Sans moi, bien entendu, puisque vous n'êtes pas mon genre.

— Le Ciel en soit loué !

— Et je vous aiderai à retrouver votre nièce.

En entendant cela, elle parut fondre de soulagement.

— Oh merci ! Je vous en serai éternellement reconnaissante. Il n'y aura rien que je ne puisse faire pour vous en retour.

— Soyez prudente dans vos promesses.

— Je le pense vraiment, affirma-t-elle, les yeux brillant de larmes. Je ferai n'importe quoi pour vous. Vous n'avez qu'à demander.

— Pour l'instant, une deuxième tasse de café suffira.

Son bras tremblait légèrement, quand elle lui resservit du café, mais elle contint ses larmes. Puis, elle s'efforça de se concentrer sur des choses concrètes pour dompter son émotion...

— A présent, parlons des dispositions financières, suggéra-t-elle.

— L'argent n'est pas mon motif. J'entreprends cette croisade pour des raisons personnelles.

— Il n'empêche. S'il y a des dépenses, c'est à moi de les assumer.

— Comme vous voudrez. Nous commencerons demain matin, quand vous serez reposée. Mais j'attire votre attention sur un point : je ne suis pas un faiseur de miracles, et mes recherches pourraient prendre du temps.

Elle changea de couleur.

— Oh, mon Dieu, Mac, j'espère que non ! Cela fait déjà sept semaines que Kirk Thayer s'est enfui.

— Justement, rétorqua-t-il, avec un peu de chance, il se sent suffisamment en sécurité pour s'être arrêté quelque part.

Mais comme cet argument ne suffisait pas à la tranquilliser, il se sentit obligé de lui prendre la main pour la réconforter.

— Allons, dit-il, puisque nous allons travailler ensemble, il faut me faire confiance…

— Je sais, murmura-t-elle, de nouveau au bord des larmes.

— Et je ne peux offrir aucune garantie, ne l'oubliez pas.

— Entendu.

— Bon, maintenant vous devriez aller chercher dans votre voiture vos affaires pour la nuit. Je changerai les draps pendant ce temps.

— Merci.

— Cessez de me remercier. Et dépêchez-vous…

Elle gagna le seuil, mais se retourna vers lui, hésitante.

— Vous n'allez pas changer d'avis et refermer le verrou derrière moi ? balbutia-t-elle.

Refusant de se laisser émouvoir par tant de vulnérabilité, il rétorqua :

— Je n'ai qu'une parole. Je vais vous ouvrir le garage. Garez votre voiture à côté de la mienne, et rentrez par la porte latérale qui donne sur la buanderie.

Le vent était tombé. Des étoiles criblaient le ciel, et le grondement de l'océan s'était mué en murmure régulier, pareil à une berceuse.

Melissa aspira l'air frais à pleins poumons, se laissant pénétrer d'un profond sentiment de soulagement et de reconnaissance.

Enfin, elle l'avait convaincu, se disait-elle. Mac allait l'aider. Et il avait beau prétendre le contraire, elle était sûre qu'il réussirait.

Une croisade personnelle, avait-il dit. Elle trouvait l'expression très appropriée. Il lui apparaissait comme un chevalier des temps modernes, intrépide, honorable et résolu. Il n'était pas du genre à laisser quoi que ce soit s'interposer entre son but et lui.

Oui, il appartenait à cette trempe d'hommes, et elle avait confiance en lui.

Quand elle fut de retour dans la maison après avoir garé sa petite Mini à côté d'une Jaguar et d'un 4x4, il lui lança :

— La cuisine est impeccable. J'ai peut-être eu raison de vous accepter chez moi.

— Je suis gênée que cela vous oblige à quitter votre chambre, dit-elle en voyant l'oreiller et la couette qu'il avait déposés sur un fauteuil.

— J'ai connu pire que de dormir sur un immense divan bien confortable ! Comparé à une nuit de guet dans une voiture de patrouille banalisée, c'est de la plaisanterie. Et qu'est-ce qui vous fait penser que je dors seul lorsque j'ai une invitée ? Que ce déménagement n'est pas l'exception qui confirme la règle ?

Elle était loin de s'imaginer qu'il menait une existence monacale ! Un seul regard sur ces yeux, sur cette bouche virile, et on sentait irradier la sensualité qui émanait de lui.

— Je suis sûre que vous avez votre lot d'admiratrices, dit-elle avec raideur.

— Ne boudez pas. Et ne me dites pas que vous n'avez jamais partagé votre lit avec un homme. De nos jours, aucune femme ne reste vierge bien longtemps.

— Dans ce cas, cataloguez-moi comme anormale et fière de l'être !

Il s'interrompit alors qu'il déployait la couette sur le divan, et la dévisagea d'un air étonné.

— Vous vous moquez de moi, là ?

— Pas du tout ! Et vous faites erreur de croire qu'une femme moderne ne demande qu'à coucher avec le premier venu. Nous sommes nombreuses à préférer attendre l'homme qu'il faut.

— Celui qui est prêt au mariage, vous voulez dire ?

— Oui, fit-elle, peu soucieuse de lui préciser qu'elle était encore vierge parce que les occasions tentantes lui avaient manqué. Cela vous pose un problème ?

— En théorie, non, répliqua-t-il gaiement. Mais dans la pratique, j'avoue préférer...

Mais comme elle n'avait aucune envie d'entendre la suite, estimant qu'il était déjà bien assez déstabilisant d'être toute retournée par le sourire qu'il lui décochait, elle l'interrompit sèchement :

— Peu importe, cela ne me regarde pas.

— Cela ne vous intéresse pas ?

— Pas le moins du monde ! Mon seul désir, c'est de prendre un bain et de dormir. Alors, si vous voulez bien m'indiquer…

— Descendez par là, lui dit-il en désignant un escalier. Vous ne pouvez pas vous tromper.

Certes ! pensa-t-elle en pénétrant dans la chambre. Loin de répondre aux attentes conventionnelles, la pièce était, comme le séjour-cuisine, un espace ouvert, avec une large baie faisant face à la mer ; et, du grand lit ancré au milieu de la pièce, on avait vue sur l'océan. Mais la salle de bains attenante avait tout de même une porte, protégeant l'intimité de celui ou celle qui s'y trouvait.

Au lieu de faire couler un bain, et d'utiliser les sels parfumés au gardénia qui appartenaient, pensa-t-elle, à l'une des maîtresses de son hôte, elle choisit de prendre une douche qui lui procura la détente espérée.

Pourtant, une fois au lit, elle ne put trouver le sommeil. Cette maison étrangère, son propriétaire trop séduisant, et la possibilité que June retrouve bientôt son bébé, tout cela continua de s'agiter dans son esprit.

Pour finir, elle alluma la lampe de chevet et tira le tiroir de la table de nuit, dans l'espoir d'y trouver quelque lecture capable de mettre fin à son insomnie. Il y avait là un ouvrage de science-fiction et un manuel de criminologie, qui ne la tentaient guère. Mais elle trouva dessous plusieurs feuillets dactylographiés qui faisaient sans nul doute partie du livre qu'il rédigeait, et dont Linda lui avait parlé.

Bien entendu, elle n'aurait pas dû fouiller dans ce tiroir, et elle n'aurait pas dû lire ces feuillets. Mais des mots attirèrent son regard, le captèrent, et, malgré elle, elle se retrouva emportée dans un monde inconnu, où régnait un mal inconcevable. Elle ne prit donc pas garde aux pas qui résonnaient dans l'escalier, à la silhouette qui, soudain, se profilait sur le plafond, étirée par la lueur de la lampe.

Quand elle en prit conscience, elle voulut effacer toute trace de son acte. Elle refoula les feuillets dans le tiroir et le rabattit, mais trop vite, y coinçant un livre de travers sans pouvoir le refermer tout à fait. En hâte, elle tira sur le volume. Mais, dans ce mouvement, un paquet ouvert glissa et déversa son contenu…

Effarée, elle contempla les préservatifs qui s'étaient répandus sur ses genoux en s'exclamant d'une voix étouffée :

— Oh, nom d'une pipe !

— On ne saurait mieux tomber, lança Mac Sullivan, ironique, depuis le bout du lit. Ce sont des préservatifs, un moyen de protéger les innocentes comme vous, qui croient sans doute que le mot « contraception » est un juron obscène. Au cas où vous ne le sauriez pas, les hommes les enfilent sur…

— Je sais ce que c'est ! s'écria-t-elle d'une voix enrouée par une gêne cuisante. Vierge ne signifie pas demeurée !

— C'est pourtant ce que vous êtes, et pire encore, fit-il en se rapprochant. Dites-moi, la belle, qu'est-ce que vous projetiez ? D'en voler un pour venir me l'essayer pendant mon sommeil ?

Stupidement, elle protesta :

— Bien sûr que non !

— Alors, que faisiez-vous, bon sang ?

Il avait posé cette question sans le moindre humour, cette fois, et nulle ironie ne flottait à présent dans le regard dur et inquisiteur qu'il braquait sur elle.

Mais elle avait beau avoir envie de disparaître sous terre, elle ne put se détourner de ce regard.

— Je n'arrivais pas à dormir, murmura-t-elle. Je cherchais de quoi lire.

Il jeta un coup d'œil vers le tiroir, où les feuillets gisaient dans un désordre révélateur.

— Ce manuscrit, je suppose ?

Elle n'eut pas à répondre, car la brusque rougeur de son visage parla pour elle.

— Est-ce que vous écoutez aussi aux portes ? s'enquit-il d'un ton glacial. Vous surprenez les conversations téléphoniques, interceptez les e-mails ? Vous volez ? Dois-je tout mettre sous clé pendant votre séjour ici et dormir avec un revolver sous mon oreiller ?

— Non, dit-elle, secouée par la violence de l'accusation. Cessez d'exagérer. Je ne suis pas une criminelle.

— Comment le saurais-je ? Qu'est-ce qui me prouve que vous n'avez pas inventé cette histoire d'enlèvement pour vous introduire chez moi et fourrer le nez dans ce qui ne vous regarde en rien ?

— Je vous en prie, pas de paranoïa ! J'ai pris en main quelques feuilles dactylographiées que je n'ai même pas eu le temps de lire. Je n'y toucherai plus.

— Certes, répliqua-t-il en s'emparant desdits feuillets. J'y veillerai.

Elle frissonna de constater qu'il conservait son sang-froid en dépit de sa colère.

Il tenait sans doute de là sa force, s'avisa-t-elle. Il avait dû être comme ça, quand il était flic : implacable.

Mais elle ne voulut pas se laisser impressionner et passa à la contre-attaque :

— Qu'est-ce que vous êtes venu faire ici, d'abord ? demanda-t-elle. Vous m'espionnez ?

— Qui est le plus paranoïaque des deux ? Je vous ai entendue fourrager dans le tiroir, et j'ai pensé que vous cherchiez la télécommande du rideau métallique parce que le clair de lune vous empêchait de dormir.

— Je n'ai vu aucune télécommande.

— Evidemment ! Vous étiez trop occupée à faire joujou avec mes préservatifs et à lire ce qui ne vous regarde pas ! rétorqua-t-il avant de plonger la main dans le tiroir pour en retirer l'objet en question pour le déposer en évidence sur le chevet. Tenez. Vous pouvez vous amuser avec tant qu'il vous plaira. Pour le reste, bas les pattes !

Il sortit en trombe sans qu'elle eût trouvé le culot de lui demander quelque chose à lire.

Mieux valait ne pas le contrarier davantage, se dit-elle, consciente par ailleurs que leur échange conflictuel avait eu quelque chose de rassurant.

En fait, peu de choses échappaient à Mac Sullivan, et elle sentait d'instinct que ce serait un atout dans la recherche du bébé.

Elle s'endormit peu après cet incident, et ne s'éveilla que le lendemain à 7 heures, lorsque le miroitement de la mer vint se réfléchir sur ses paupières closes.

Le silence régnait dans la maison. Elle se prépara sans bruit, puis, après avoir revêtu une tenue de jogging, elle se faufila hors de la maison pour faire un tour sur la plage.

Dans la mesure où ils ne s'étaient pas quittés, la veille, en très bons termes avec Mac Sullivan, elle préférait le laisser seul pour son réveil.

Mais elle atteignait le bas des marches lorsqu'il apparut devant elle, en maillot de bain noir, serviette autour du cou, dégoulinant d'eau, telle une superbe figure de proue dans le soleil.

— Ah ! vous êtes levée, lui dit-il, foulant la dune sablonneuse avec une enviable aisance. Vous dormiez à poings fermés quand je suis descendu, tout à l'heure.

Elle se sentit mal à l'aise à l'idée qu'il avait pu l'observer pendant son sommeil. Elle qui l'avait si léger, d'habitude !

— Vous êtes entré dans ma chambre ?

— Non, répliqua-t-il, dans la mienne. C'est là que j'ai mes affaires, et j'ai préféré, par décence, enfiler un maillot, aujourd'hui.

— Par décence ? répéta-t-elle, n'osant comprendre.

— Oui, je n'en mets pas d'habitude pour une simple baignade, mais vous risquiez de tomber dans les pommes en me voyant tout nu.

— Vous croyez ? lui répliqua-t-elle, le regard attiré par la partie la plus virile de son anatomie, que le tissu mouillé et souple épousait comme une seconde peau.

— Si j'étais vous, je regarderais ailleurs. A moins que la fascination ne vous en rende incapable...

Se ressaisissant soudain, elle riposta :

— J'ai des soucis autrement plus importants que ce que vous avez à montrer !

— Je vous conseille de reformuler votre phrase. Sinon, je pourrais être tenté de vous prouver le contraire ! ironisa-t-il aussitôt avec un large sourire.

Mortifiée et confuse, agacée de constater qu'ils étaient déjà à couteaux tirés, elle énonça avec effort :

— Si nous reprenions tout à partir de zéro ? Bonjour, monsieur Sullivan. L'eau était bonne ?

— Glaciale ! Si vous aviez un brin de compassion, vous me prépareriez un bon petit déjeuner.

— Ce serait déjà fait, si je n'avais craint d'empiéter sur votre domaine.

— Un coup de main n'est pas de refus. Faites donc pendant que je prends une douche. Ensuite, nous discuterons de la stratégie à adopter.

Elle trouva, dans le réfrigérateur et le garde-manger bien garnis, de quoi satisfaire le palais exigeant de son hôte. Lorsqu'il remonta dans la cuisine, une mallette au bout du bras, elle avait pu apprêter du jus d'orange frais, du café, des muffins maison, des poires pochées, et une omelette au bleu accompagnée de raisins et de tranches de kiwi.

— Eh bien ! s'exclama-t-il en admirant les mets qu'elle avait disposés sur la table du patio et en goûtant à l'omelette, je suis impressionné. Où avez-vous appris à cuisiner comme ça ?

— Oh ! ici et là. On me considère comme une cuisinière passable.

— Nous avons plus de choses en commun que je n'aurais cru. Je vous autoriserai peut-être à mettre la main au dîner.

— Le dîner ? fit-elle, oubliant aussitôt le compliment. Mais je croyais qu'on commençait les recherches dès ce matin.

— C'est le cas.

— Nous n'irons pas loin si nous sommes encore ici ce soir.

— Patience, la belle. On ne résout aucune affaire par la précipitation. Tant que nous n'aurons aucune idée de l'endroit où Thayer a pu se rendre, nous ne bougerons pas.

— Mais…

— J'ai besoin d'un quartier général, et ce sera ici, où j'ai tous mes contacts, décréta Mac. Je vous l'ai déjà précisé : on fera les choses à ma manière.

— Et je n'ai pas mon mot à dire ?

— J'ai été très clair là-dessus hier soir, et vous n'avez pas protesté. Mais si vous avez changé d'avis, sentez-vous libre de partir en chasse seule.

— Non, dit-elle précipitamment. On fera comme vous voulez.

Il tira un bloc-notes de sa mallette, et lâcha :

— Très bien. Je vais vous interroger, et je veux que vous me répondiez aussi franchement que possible. Commencez par me raconter comment votre sœur a rencontré Thayer.

— Ils travaillaient dans le même immeuble.

— La même entreprise ?

— Non. Ils se sont croisés dans l'ascenseur un jour où il pleuvait et ont pris un taxi en commun pour gagner l'aéroport. Il partait en vacances, elle allait accueillir une amie. Quelques semaines après, ils se sont de nouveau croisés par hasard, il l'a invitée à dîner, et ça a démarré comme ça.

— Connaissez-vous le nom de l'entreprise pour laquelle il travaillait ?

— Non. Mais il me suffira d'un coup de fil pour le savoir.

— Bien. Vous ferez ça en priorité quand nous aurons fini. Ensuite, je prendrai contact avec quelqu'un de Washington pour faire faire une enquête à son sujet. Vancouver n'est pas une grande ville, ça ne devrait pas être long.

Réalisant tout à coup qu'il y avait méprise depuis le début, elle s'exclama :

— Mais ce n'est pas du Vancouver U.S. que je parlais ! C'est du Vancouver de Colombie-Britannique.

Il la dévisagea d'un air incrédule.

— Ne me dites pas que vous êtes canadienne !

— Si.

— Et c'est au Canada que votre nièce est née ?

— Eh bien ! oui. Cela pose un problème ?

— Seulement si on considère que je n'ai pas de relations là-bas ! Mais bon sang, pourquoi ne l'avez-vous pas précisé plus tôt ? Et pourquoi êtes-vous venue me trouver au lieu de vous adresser à la police montée canadienne, qui est célèbre pour son taux de réussite dans ses enquêtes ?

— Un, vous ne m'avez pas posé la question. Deux : la police montée s'est retirée de l'affaire quand elle a découvert que Kirk avait quitté le pays. Trois : on a retracé ses mouvements jusqu'à Portland, qui se trouve justement dans l'Oregon, où vous habitez.

— Oh, bon sang, Melissa !

— Quoi ? Ne me dites pas que ça change quelque chose et que vous avez renoncé à m'aider ! s'écria-t-elle.

— Bien sûr que si, ça change les choses. D'abord, même si la police de Vancouver a contacté celle de Portland…

— Elle l'a fait, je le sais.

— Eh bien ! la police de Portland ne peut que classer l'affaire. J'ose à peine vous le dire, mais il y a des centaines d'enfants qui disparaissent chaque année et, une fois que l'enquête établit qu'ils ont été emmenés hors d'un état, voire du pays, il devient pratiquement impossible de les localiser.

Elle secoua la tête avec véhémence.

— Je refuse d'entendre ça ! Vous avez déjà retrouvé des gens dans ces conditions, je le sais. Tout le monde le sait. Vous avez retrouvé des gens qui ne désiraient pas l'être. Vous avez aidé des familles à se reconstituer.

Là-dessus, elle se mit à pleurer, affolée à l'idée de devoir rentrer chez elle les mains vides, terrorisée à l'idée de ce que deviendrait June si on ne retrouvait pas vite Angela, persuadée que si ce calvaire se prolongeait encore, elle finirait par devoir enterrer leur mère.

— Hé ! fit-il, se levant pour la rejoindre alors qu'elle sanglotait éperdument. Hé !

Il la mit debout, l'attira contre lui et lui murmura à l'oreille des mots de réconfort tout en lui caressant l'épaule. Et comme elle demeurait inconsolable, il lui releva le menton et l'embrassa.

Pourquoi fallut-il que cela advienne lorsque son désespoir risquait de tout gâcher ? se demanda-t-elle confusément. Car c'était un pur moment de volupté. Il y avait, dans ce baiser, tout l'emportement sensuel dont elle le sentait capable, mais aussi tant de douceur et tant de compassion que cela la bouleversait.

Alors que les lèvres viriles s'attardaient sur les siennes, fermes et douces, tel un baume réparateur, elle s'obligea à lever enfin les yeux vers lui et murmurer :

— Et maintenant, Mac ?

Il lui caressa la joue du bout des doigts, émit un long soupir saccadé.

— Je vous ramène chez vous, dit-il.

4.

Elle recula comme on s'écarte d'un tison enflammé.

— Ce que je peux être idiote ! J'ai pris ça pour un baiser, alors que c'était un adieu ! Eh bien, je ne partirai pas d'ici, pas question !

Il faillit éclater de rire et mettre à profit sa réaction épidermique pour la flanquer à la porte, et ainsi se désengager de toute l'affaire. Mais rien de tout ça n'était assez fort pour compenser ce qu'il avait éprouvé en l'embrassant.

Pourtant, ce n'était qu'un baiser ! se dit-il, furieux de sa faiblesse. Un petit baiser de rien du tout ! Il en avait donné et reçu d'infiniment plus torrides !

Cherchant à juguler ce qu'il ressentait encore, il lui lança :

— Vous réagissez toujours de façon aussi puérile quand on vous contrarie ?

— Puérile ? Dites plutôt que j'ai été assez folle pour compter sur vous !

— Je n'ai jamais dit que je déclarais forfait.

— Ce n'est pas en me renvoyant chez moi que vous allez me convaincre de votre engagement !

— Décidément, votre penchant pour les conclusions hâtives me sidère. Je n'ai pas menacé de vous renvoyer, j'ai dit que j'allais vous ramener. Nuance.

Cela la réduisit au silence. Elle murmura enfin :

— Vous… vous venez avec moi ?

— Pigé, la belle.

— Pourquoi ?

— Je veux parler aux personnes qui ont rencontré Kirk Thayer. Si je dois le pister, il faut que je sache tout ce qu'il y a à savoir sur son compte. Allons, débarrassez la table et tenez-vous prête pendant que je prépare quelques affaires et passe un ou deux coups de fil.

Comme il s'y attendait, elle se rebiffa :

— Vous me prenez pour quoi ? Pour un toutou dressé à obéir ?

— Impossible, fit-il en s'éloignant vers les profondeurs de l'appartement. Vous n'avez pas assez de cervelle pour ça.

Ils partirent trois quarts d'heure plus tard.

Tandis qu'il roulait à toute allure le long de la route côtière, il expliqua :

— J'avais pensé prendre l'avion jusqu'à Vancouver, mais avec les correspondances et les contrôles, ce ne sera pas plus rapide qu'en voiture.

— Vous croyez ? Moi, il m'a fallu deux jours pour arriver à Trillium Cove.

— Guère surprenant, vu le tacot qui vous sert de moyen de locomotion. Et puis, je parie que vous avez roulé à quarante à l'heure.

Ayant atteint l'autoroute, il appuya encore sur l'accélérateur de la Jaguar.

— Moi, je n'aime pas traîner en route.

— Et moi, j'aime arriver entière !

— Du calme, Melissa. Je vous ramènerai saine et sauve, soyez tranquille.

— Et après ?

— Après, on enquêtera. On parlera aux gens qui ont connu Thayer.

— J'espère que ce n'est pas à June que vous pensez. Elle est très vulnérable, très fragile.

— Je pense à toutes les personnes susceptibles d'apporter une lumière sur les faits et gestes du kidnappeur, répondit-il tranquillement. June, votre mère, les voisins, les collègues et amis de Thayer. Il faut bien un début…

— Je suppose.

— Votre enthousiasme fait plaisir à voir. Qu'est-ce qui se passe ?

— J'ai l'impression de tourner en rond.

— Si vous aviez commencé par me téléphoner, vous auriez pu vous épargner toutes ces allées et venues.

— En admettant que j'aie pu me procurer votre numéro, vous auriez accepté de me parler ? De m'aider ?

— Sans doute pas, admit-il.

Il avait toujours su raccrocher au nez des importuns. Mais, si endurci qu'il fût devenu, il n'avait pas pu tourner le dos à cette femme qui portait sur elle, à son insu peut-être, l'empreinte de la lassitude et du désespoir.

— C'est pour ça qu'il fallait que je vous voie, dit-elle.

Il hésita un instant à aborder le sujet qui le préoccupait depuis qu'il avait accepté l'affaire, et finalement, demanda :

— Que savez-vous exactement sur moi ?

— Seulement ce que j'ai lu, ce que m'a appris mon amie journaliste, et ce que vous m'avez dit vous-même. Je sais que vous avez publié un livre, unanimement considéré comme la bible des policiers, et que vous en avez un deuxième en préparation. Que vous écrivez parfois pour les journaux et qu'on vous consulte à l'occasion, quand une enquête officielle piétine. Que vous n'avez pas un caractère facile, que vous vivez plus ou moins en ermite et défendez votre intimité comme s'il s'agissait des diamants de la Couronne.

— Et pourtant, vous vous êtes obstinée, même lorsque je vous ai envoyée paître.

— Oui. Ma sœur est pratiquement réduite à l'état de légume, ma nièce a disparu depuis bientôt deux mois… Qu'est-ce que j'avais à perdre ?

La seule chose qui vous reste, l'espoir ! faillit-il répondre. Mais ne pouvant lui dire d'emblée que leur quête était quasiment vouée à l'échec, il prit un détour en demandant :

— Est-ce que vous savez pourquoi j'ai démissionné de la police ?

— Parce que vous êtes un rebelle et que vous ne vouliez pas suivre les règles.

— Non. Parce que j'ai foiré ma dernière enquête et qu'il en a résulté la mort d'un enfant. Un bébé, Melissa, qui n'était guère plus âgé que votre nièce.

Elle se recroquevilla dans son siège.

— Mais ce n'était pas vraiment votre faute, la hiérarchie vous liait les mains.

— Si, c'était ma faute. Je m'étais engagé à ramener cet enfant chez lui et j'ai échoué.

— Pourquoi me dites-vous ça maintenant ? s'enquit-elle, l'air blessé.

— Parce que je ne suis pas un faiseur de miracles. Je ne peux pas garantir que je retrouverai le bébé de votre sœur. La seule chose que je puisse vous promettre, c'est de faire de mon mieux. Je veux que tout soit bien clair pour vous. Et si vous considérez que je ne suis pas l'homme qu'il faut pour ce travail après ce que je viens de vous déclarer, sentez-vous libre de le dire. Je vous mettrai dans le premier avion pour Vancouver, et je ferai rapatrier votre voiture. Sans rancune de part et d'autre.

Il y eut un silence. Les kilomètres défilèrent. A l'instant où il allait pratiquement la contraindre à répondre, elle reprit la parole :

— Je ne changerai pas d'avis. Je… j'ai confiance en vous.

— Les parents de l'autre bébé aussi avaient confiance, et j'ai échoué.

— A ce que vous dites. Si Angela…

Sa voix s'était mise à trembler, et, de nouveau, elle marqua un long silence avant de trouver le courage de poursuivre :

— S'il est arrivé quelque chose à ma nièce, si nous arrivons trop tard pour la sauver, je ne veux pas que ce soit parce que j'ai ménagé mes efforts. Sinon, je ne pourrai plus jamais regarder ma famille en face. Je veux être sûre d'avoir fait le maximum. Et ce maximum, c'est vous.

— Vous avez eu de la veine, vous savez, de vous présenter chez moi sans crier gare, dit-il pour désamorcer le caractère dramatique de la conversation. Et si j'avais été absent ?

— Je n'y ai pas songé. Il fallait que j'agisse, d'une façon ou d'une autre.

— Etes-vous toujours aussi impulsive ?

— Uniquement lorsque la situation s'y prête. Pourquoi cette question ? Vous n'avez jamais agi sur une impulsion ?

— Si. Je me suis marié.

— Et à votre avis, pour quelle raison cela n'a pas fonctionné ?

— J'étais obsédé par mon travail. Je le rapportais avec moi à la maison. C'était comme une maîtresse qui s'interposait entre ma femme et moi, même au lit.

Il lui décocha un coup d'œil, se disant que les femmes se mettaient de drôles d'idées en tête, parfois, même à partir de rien.

Aussi, bien que leur association fût purement professionnelle, il préféra mettre les points sur les i :

— Je ne suis pas du bois dont on fait les bons maris, la belle.

Elle se détourna vers la vitre pour dissimuler son expression, et s'enquit :

— Ce sont les sels parfumés de votre femme, que j'ai vus dans la salle de bains ?

— Non. Elle n'est jamais venue chez moi, ni même à Trillium Cove, que je sache. Elle s'y ennuierait à périr. C'est une citadine dans l'âme.

— Elle vous manque ?

Agacé par cet interrogatoire, il prit volontairement un ton peu engageant pour répondre :

— Il m'arrive de regretter nos échanges, notre proximité. Mais j'ai appris à compenser ça. Un homme n'a pas besoin d'une épouse pour avoir de la compagnie, si vous voyez ce que je veux dire…

Cela mit bel et bien fin à la conversation, jusqu'au moment où ils s'arrêtèrent à Salem pour avaler un sandwich.

— Cela ne vaut pas votre omelette, dit-il. Où avez-vous appris à cuisiner si bien, au fait ? Au Cordon-bleu, à Paris ?

— Entre autres, oui.

Il faillit en avaler de travers.

— Vous vous moquez de moi, là ?

— Pas du tout. J'ai passé huit mois à l'école de restauration de New York, et j'ai effectué des formations complémentaires de plusieurs mois à Paris, puis à Brescia, en Italie. Entrecoupés de divers stages dans des restaurants de réputation internationale.

— Je ne m'étonne plus que vous fassiez un café et des muffins aussi délicieux !

— Mmm, acquiesça-t-elle, une lueur rieuse dans les yeux.

— Alors, vous vous êtes bien payé ma tête ?

Elle éclata de rire — un rire spontané qui s'égrenait comme une musique —, et il fut stupéfait de voir combien cela la transfigurait, combien sa bouche était sensuelle, et son sourire, ravissant.

— J'avoue que je me suis bien amusée.

Ce marivaudage le mit sens dessus dessous, et il s'en voulut de la réaction toute masculine qui affecta la partie la plus intime de son anatomie.

Holà ! les relations personnelles avec les clientes sont interdites, se dit-il pour se rappeler à l'ordre, avant de convenir qu'en d'autres circonstances, ils auraient pu avoir une délicieuse liaison.

Agacé par son propre trouble, il dit brusquement :

— Pressons-nous un peu. Sinon, nous allons arriver dans les faubourgs de Seattle à l'heure de pointe, et Dieu sait combien de temps nous serions retenus au passage de la frontière.

Ils franchirent la distance Salem-Portland en un temps record, tout en bavardant.

Mais si leur conversation était légère en apparence, ils échangeaient en fait bien des informations personnelles, songea Mac. C'était l'inconvénient dans le cas d'une intimité forcée entre inconnus, un homme finissait par livrer ce qu'il aurait dû garder pour lui-même…

A un moment donné, voyant qu'elle avait fermé les yeux, il crut qu'elle s'était endormie. Il en profita pour appuyer sur l'accélérateur.

Mais elle réagit aussitôt.

— J'ai vu votre manœuvre. Ralentissez.

— Je croyais que vous dormiez.

— Non. Je pensais, c'est tout.

— A quoi ?

— A vous.

Il éprouva un drôle de petit frisson, à cet aveu.

— Ah ! Et comment ça ?

— Vous êtes à l'aise dans une cuisine. Le steak que vous m'avez servi était un délice.

— Et ?

— Alors je me demandais si c'était vous qui faisiez la cuisine, pendant votre mariage. Ou c'est venu après le divorce ?

— Surtout après le divorce, dit-il, se demandant pourquoi elle en revenait sans cesse à son échec matrimonial. C'était ça ou vivre de pizzas réchauffées.

— Vous auriez pu engager quelqu'un.

— Sûrement pas. Je ne veux aucune femelle entre les pattes.

— Ce que vous êtes macho ! Les hommes aussi peuvent tenir une maison. Et tous les chefs de cuisine ne sont pas des femmes.

— Je ne me vois pas vivre avec un homme, fût-ce pour lui donner ma maison à tenir. Il me convient d'être seul et de me débrouiller par moi-même.

— Vous n'avez jamais songé à vous remarier ?

— Je vous ai déjà dit que je n'étais pas de l'étoffe dont on fait les maris ! Mais si ce sont mes préférences sexuelles qui vous titillent, sachez que j'aime les femmes. Je ne tiens pas à ce que l'une d'elles mette le grappin sur moi, c'est tout.

— Oh ! je n'ai pas cru que ces divins sels de bain vous appartenaient, fit-elle.

Comme à l'intonation, Mac devinait qu'elle aurait bien aimé avoir des éclaircissements à ce sujet, il décida de la provoquer en rétorquant :

— En revanche, les préservatifs étaient bien à moi.

Cela la réduisit au silence pour un bon moment.

Le trafic commença à grossir, et des embouteillages se formèrent à l'approche de Seattle.

Mac préféra se dérouter, empruntant la 16 vers l'ouest pour gagner Gig Harbour.

— J'espère qu'on va trouver un endroit potable pour dîner, dit-il en longeant la rue principale. J'aimerais bien me dégourdir les jambes.

— Je peux conduire à votre place, si vous voulez. Cela vous reposera.

— Non, merci ! Vous êtes trop sur les nerfs. Voilà plus d'une heure que vous crispez les jambes comme si vous appuyiez sur un frein imaginaire.

— Parce que vous roulez comme un dingue !

— Vous oubliez, dit-il en se garant face à un restaurant sur le front de mer, que j'ai pourchassé les vilains pendant des années dans une voiture de patrouille.

— Vous n'êtes plus dans une voiture de patrouille, bon sang !

Après un éclat de rire, il lui tapota la joue d'un revers de main et se fit plus conciliant :

— Du calme, chérie. Nous allons manger, faire une promenade au bord de la mer, et nous remettre en route. Les banlieusards seront chez eux à ce moment-là, et nous pourrons franchir la frontière en douceur.

Elle battit des cils, appuya la joue contre la paume virile.

— Promis ?

— Juré.

Ils dînèrent à une table proche de la baie et, alors qu'ils terminaient le repas par un crumble aux framboises et un café, il observa :

— Une fois à Vancouver, lorsque je vous aurai reconduite chez vous, il faudra que je me mette en quête d'une chambre d'hôtel. Vous avez un établissement à me recommander ?

— Non. Vous dormirez chez nous.

— C'est-à-dire ?

— Avec maman et moi.

— Vous habitez toujours chez elle ?

— C'est temporaire. Jusqu'à ce qu'on retrouve le bébé.

— Et ensuite ?

Elle essuya une goutte de café sur ses lèvres d'un léger coup de langue et, une fois de plus, il lui trouva une bouche bien appétissante.

— En fait, je ne suis pas sûre de rester à Vancouver, répondit-elle.

— Vous pensez retourner en Europe ?

— Peut-être.

A cette éventualité, il ressentit comme un pincement au cœur dont il fut le premier étonné.

Il la connaissait à peine, bon sang ! pesta-t-il intérieurement. Et en plus, elle ne correspondait en rien au genre de femme qu'il aimait.

— Mon rêve est d'ouvrir un restaurant un jour, poursuivit-elle. Mais ce n'est pas un métier facile. Il y a de nombreuses faillites dès la première année d'activité, dans ce milieu. Alors, plus je me donnerai d'expérience avant, mieux ça vaudra.

— Ça ne vous laissera guère de temps pour le mariage et le reste.

— Oh, je m'arrangerai… quand l'homme idéal se présentera !

— Vous voulez avoir des enfants ?

Une tristesse soudaine voilà son regard tandis qu'elle murmurait :

— Je le voulais, avant qu'on kidnappe Angela. Maintenant, je n'en suis plus sûre. Si mon bébé disparaissait…

Il tendit le bras pour lui tapoter affectueusement la main.

— Il ne faut pas que l'acte d'un fou détruise vos rêves, la belle. Les hommes comme Thayer sont des exceptions.

— J'espère.

Et comme leurs doigts s'effleuraient, il fut ému de la confiance avec laquelle elle lui abandonnait sa main.

« Ne joue pas avec le feu, Sullivan ! se dit-il, ou quelqu'un s'y brûlera les ailes. »

Alors, se levant brusquement, il déclara :

— Il faut y aller. Je vais payer ce qu'on doit et…

— Laissez-moi acquitter la note.

— Ah, ne commencez pas ! fit-il avec humeur. Je vous enverrai la mienne quand tout sera fini. D'ici là, allez vous poudrer le nez… Et sans traîner !

Ils franchirent la frontière canadienne juste après 22 heures, ce soir-là, et il suivit les instructions qu'elle lui donna pour la traversée de Vancouver. Elle finit par lui indiquer, à gauche dans Marine Drive, une petite rue tranquille.

— Tournez là. Notre maison est au bout, face à la mer. Ma mère vous attend, au fait.

Il s'étonna.

— Elle m'attend ?

— Je lui ai téléphoné du restaurant de Gig Harbour. Là, vous voyez le garage aux portes blanches ? Garez-vous juste devant.

— Vous êtes plutôt sournoise, dans votre genre, dit-il. Cela m'amène à me demander si je peux vraiment vous faire confiance.

Mais à l'intonation amusée, elle sut qu'il ne lui en voulait pas d'avoir pris les devants à son insu. En fait, il semblait soulagé, et cela n'avait rien d'étonnant. Il y avait plus de dix heures qu'il roulait.

Sa mère les accueillit sur le seuil.

Alors qu'elle faisait les présentations, Melissa vit renaître l'espoir dans le regard maternel, tandis que Mac, de son côté, prenait un air très contrarié.

— Nous vous sommes très reconnaissantes d'avoir fait tout ce chemin pour nous venir en aide, déclara la maman en serrant la main de Mac. Melissa m'assure que vous êtes un as dans la recherche des personnes disparues.

— Melissa est trop bonne, dit-il.

Et il décocha à la jeune femme un regard noir.

Leur hôtesse avait préparé du thé et des sandwichs, et un bon feu flambait dans le salon pour chasser la fraîcheur de la brise océane.

— Nous sommes prêts à vous aider de notre mieux, monsieur Sullivan, dit-elle en lui tendant une tasse de thé.

Il sourit, lui toucha l'épaule avec une gentillesse que Melissa n'aurait jamais soupçonnée en lui.

— Vous pouvez commencer en m'appelant Mac, madame Carr.

— A condition que vous m'appeliez Jessie. Je suis si contente que Melissa vous ait trouvé ! Avec vous, j'ai bon espoir que ma famille sera de nouveau réunie.

Ce fut avec un sourire tendu qu'il répondit :

— L'optimisme est une bonne chose, Jessie, mais je vous en prie, restez prête à rencontrer des difficultés. Il faut se défier d'un excès de confiance.

Jessie ne voulut apparemment rien entendre :

— Si Melissa vous estime assez pour vous avoir amené ici, c'est que ma confiance est bien placée. Mais je vois que je vous mets mal à l'aise, alors, je n'insisterai pas là-dessus. Parlez-moi plutôt du livre que vous êtes en train d'écrire…

Ils bavardèrent un moment, mais Mac avait beau se montrer charmant, sa crispation n'échappait pas à Melissa.

Lorsque Jessie se retira pour se coucher — après avoir indiqué qu'elle avait réservé à leur hôte la chambre de June, inoccupée —, une tension palpable régna dans la pièce.

— Eh bien ! enchaîna Melissa, nous avons besoin d'une nuit de sommeil, nous aussi. Je vais vous montrer votre chambre.

Mais, alors qu'elle allait se lever du canapé, il la retint par le poignet sans la moindre douceur.

— Pas si vite. Nous n'avons pas terminé.

— Comment ça ? Je vous croyais fatigué.

— Je suis plus contrarié que las.

— Je me demande bien pourquoi !

— Vous le savez parfaitement, la belle. Alors, j'ai une ou deux choses à mettre au point avec vous. Et si vous choisissez de les ignorer, pour N'IMPORTE QUELLE RAISON, vous n'aurez plus qu'à tirer un trait sur ma collaboration. Pigé ?

5.

— Non, je ne comprends pas ! s'écria Melissa. Ma mère vous ouvre sa maison, elle se montre reconnaissante. Alors, pourquoi ce brusque changement d'attitude ? Elle ne vous a pas assez remercié ?

— C'est bien joli, la gratitude, mais jusqu'ici je n'ai rien fait pour la mériter. Et je n'apprécie pas d'avoir été piégé alors que j'attendais de vous la plus grande franchise.

— Ah ! parce que je n'ai pas été franche ?

— Non, et vous le savez, puisque je suis entré dans cette maison sans savoir à quoi m'attendre.

— Vous avez trouvé une personne qui a repris espoir.

— J'ai trouvé une femme seule, sans mari… et qui me prend pour un faiseur de miracles.

— Mais ce n'est pas ça qui vous inquiète, n'est-ce pas, Mac ? C'est le fait qu'elle soit en chaise roulante. Eh bien, vous devriez avoir honte ! Je vous croyais plus costaud que ça.

— Pour vous, ça n'est peut-être qu'un détail, mais de mon point de vue, ça sent le chantage affectif à plein nez ! Votre mère vit un enfer, ça se voit sur sa figure. Et pourtant, chaque fois qu'elle me regardait, j'ai lu de l'espoir dans ses yeux. J'y ai lu la conviction absolue que je mettrais fin à sa souffrance. Et c'est vous qui lui avez insufflé cette conviction, en dépit de mes mises en garde. J'ai pourtant souligné que je ne pouvais rien garantir, que je ne pouvais promettre de retrouver ce bébé, de le ramener vivant.

— Alors, dites-le-lui. Préparez-la au pire.

— Bien voyons ! Comme si elle n'avait pas un fardeau assez lourd à porter !

— Le chantage à la chaise roulante, c'est vous-même qui vous l'infligez, et non elle.

— Bien voyons !

Melissa le dévisagea un instant, pensive.

— Si je vous avais dit qu'elle était infirme, auriez-vous refusé ce job ?

— J'aurais été préparé à l'affronter comme il convient. Je n'aime pas les surprises. Surtout lorsqu'elles viennent de la personne qui est censée me seconder. La première chose qu'on apprend à l'école de police, c'est qu'il faut pouvoir compter à cent pour cent sur son partenaire si on tient à sa peau. Et je ne suis pas certain de pouvoir vous faire confiance. En quoi que ce soit !

— Faire la connaissance de ma mère, ce n'est tout de même pas une question de vie ou de mort.

— Certes. Mais vous vous obstinez visiblement à me maintenir dans l'ignorance des choses. Passe pour m'avoir ridiculisé parce que j'avais sottement raillé vos compétences culinaires. Je ne l'avais pas volé. Mais la surprise de ce soir ne se justifiait pas. Alors, tenez-vous-le pour dit : fini de faire joujou. Ce n'est ni une question de virilité, ni une question de pouvoir sur vous. Ou nous sommes solidaires dans cette affaire ou nous ne le sommes pas.

— Nous le sommes, assura-t-elle. J'avais bien pensé vous mettre au courant, mais j'ai préféré obtenir votre accord sans jouer sur la corde sensible.

— C'est sûrement pourquoi vous vous êtes présentée chez moi tel un chien perdu sans collier, ironisa-t-il.

Néanmoins, il s'était radouci, et elle plaida :

— J'étais aux abois, vous devez bien le comprendre. Ma mère n'a que des moyens d'action limités, de toute évidence. Ma sœur est en psychiatrie — et notez en passant que sur ce point, vous voilà prévenu ! Conclusion : j'étais la seule à pouvoir agir, et je ne pouvais le faire sans aide.

— Je le sais et j'ai accepté volontiers de vous apporter la mienne. Mais je vous conseille de ne plus me dissimuler d'informations, de ne pas agir dans mon dos, et de ne pas me placer dans des situations où je serais pris au dépourvu ! Il y a suffisamment d'inconnues comme ça dans cette affaire. Kirk Thayer reste un mystère, et l'évolution des choses aussi. En revanche, une chose est sûre : un homme capable d'enlever un bébé est un déséquilibré. Pas besoin d'en rajouter là-dessus !

— Je comprends, murmura-t-elle, réellement contrite.

— Je l'espère. En tout cas, à dater de maintenant ou vous êtes réglo avec moi ou je retire mes billes. A vous de choisir.

— Je vous promets la plus entière loyauté. J'ai trop besoin de vous.

— Et moi, j'ai besoin de dormir.

Là-dessus, il se passa une main dans les cheveux avant de demander d'un air troublé :

— Vous êtes bien sûre que ma présence ici n'est pas une charge trop lourde pour votre mère ?

— Certaine. Et ne dites rien de pareil en sa présence ou elle vous écharpera !

Il insista pour l'aider à débarrasser, et ils portèrent les couverts dans la cuisine.

Joliment éclairée par une lampe en cuivre, dallée de carreaux bleus qui s'harmonisaient avec les carreaux de Delft qui paraient les murs, la cuisine était belle et chaleureuse. Par la fenêtre ouverte, les senteurs du jardin de Jessie montaient jusqu'à eux, embaumant l'atmosphère.

— C'est joli, ici, commenta Mac, approbateur. Et très accueillant.

— Oui. Nous avons passé de bons moments dans cette maison.

Alors qu'elle achevait de ranger au réfrigérateur les restes du petit en-cas improvisé, et s'apprêtait à éteindre la lumière, il observa :

— Vous avez peu parlé de votre père, en dehors du fait qu'il est parti quand vous étiez enfant.

— Parce qu'il n'y a pas grand-chose à en dire.

— Comment cela ?

Le silence se fit dans la pièce tandis que des souvenirs remontaient en foule dans l'esprit de Melissa. Son père était l'homme qui lui avait appris à faire de la bicyclette, qui leur avait lu des histoires, qui s'était déguisé chaque année en Père Noël et avait dansé avec sa mère dans cette cuisine... Puis qui les avait plaquées toutes les trois lorsque sa jolie et vive épouse était devenue invalide.

Furieuse de souffrir encore à cette évocation, tant d'années après, et furieuse contre Mac qui avait ravivé ces souvenirs, elle déclara en lui tournant le dos :

— Parce qu'il ne joue plus aucun rôle dans nos existences depuis des années.

— Alors, il n'est pas au courant pour le bébé ?

— Non. Et s'il le savait, cela ne lui ferait ni chaud ni froid.

Elle perçut les mouvements de Mac, sentit qu'il se rapprochait d'elle et la considérait d'un regard enveloppant.

— Je sais ce que c'est que de grandir sans père, Melissa. Ça n'a rien de facile, et c'est injuste. Un enfant a besoin de ses deux parents.

— Il y a une différence entre vous et moi. Quand un père meurt, on peut se dire qu'il ne vous a pas abandonné de son plein gré et donc s'en consoler. Mais quand on sait que son père est parti volontairement, et qu'il avait même hâte de vous quitter, ça ne laisse guère d'illusions.

— Pourquoi ne m'avez-vous rien dit de tout ça avant maintenant ?

— Pour la même raison que je vous ai tu l'infirmité de ma mère. Je suis prête à payer vos services, mais je ne veux pas acheter votre pitié.

— Et si vous acceptiez simplement mon concours et ma sympathie ?

— Je n'ai nul besoin de votre sympathie. Réservez-la à ma mère, qui a déjà tant perdu et qui subira un deuil plus grand encore si elle ne retrouve jamais sa petite-fille. Et ne m'accusez pas de nouveau de vous avoir caché des choses. Mon père n'a rien à voir avec ce qui nous arrive.

— Allons, allons, la belle.

Il la toucha doucement, lui effleurant la nuque. C'était une caresse légère, comme son baiser de ce matin-là.

— Je vous offre mon épaule pour pleurer, sans reproches ou critiques. Laissez-moi jouer au héros, pour une fois.

— Je n'ai pas besoin de ça, je ne pleure pas, riposta-t-elle.

Mais des larmes ruisselaient sur ses joues, comme toujours lorsqu'elle se remémorait ce drame de son enfance et le visage de sa mère quand elle s'était retrouvée seule.

Sans rien ajouter, Mac se contenta de lui caresser les épaules et les bras, de façon réconfortante.

— Ne soyez pas bon avec moi, dit-elle en redoublant de larmes. Je peux tout supporter sauf ça.

— Chut, murmura-t-il en l'attirant contre lui. Taisez-vous et laissez-vous aller. C'est pour ça que je suis là.

Finalement, elle fut profondément touchée par cette douceur et cette bonté. Elle pensa qu'elle en porterait l'empreinte indélébile, longtemps après qu'il serait sorti de sa vie. C'était un sentiment agréable, et elle sentit qu'elle aurait pu rester ainsi auprès de lui indéfiniment, protégée contre la peur de l'avenir et du passé.

Elle ne sut trop quand la nature de l'étreinte se modifia, ni pourquoi la passion avait soudain jailli, la happant dans sa toile fascinatrice. Mais elle sut, quand leurs bouches se rencontrèrent et se prirent, que ce baiser-là n'avait rien de la caresse légère et aisément oubliée du matin.

En vérité, ce baiser la brûlait comme un volcan en feu et l'atteignait jusqu'au tréfonds de l'âme. Ce baiser était plein d'attente et d'exigences implicites et lui imposa une reddition sans partage.

Elle était soudain dévorée de désir, avide de sentir contre elle le corps d'un homme, et ce fut avec un gémissement sourd qu'elle échangea avec Mac de premières caresses. Ils s'embrassaient éperdument, à présent, emportés par la même déferlante, échangeant des attouchements qui n'étaient que les prémices de plaisirs plus intenses.

Mais ils se trouvaient dans la cuisine de Jessie, qui était sûre d'avoir invité un gentleman chez elle… Si Melissa n'en avait plus conscience, Mac ne l'avait pas oublié.

— Je ne peux pas faire ça, gémit-il en l'écartant de lui. Pas ici, dans la maison de ta mère.

— Où alors ? demanda-t-elle d'une voix vibrant de passion.

Il mit quelques pas de distance entre elle et lui. Il était en proie à la tentation, elle le voyait bien.

Aussi ce fut sans honte qu'elle demanda :

— Si cela s'était produit hier, chez toi, tu aurais résisté ?

— Sans doute pas.

Elle soupira en murmurant :

— Alors, je vais…

— Non ! coupa-t-il, ne va pas au-devant des ennuis. Tu as bien assez de problèmes comme ça.

Mac lui apporterait-il le trouble ? se demanda-t-elle. Oh, oui ! Mais saurait-elle en réchapper ? Probablement non, car il vivait dans un monde trop différent du sien, à mille lieues de sa propre expérience. Elle aurait dû lui être reconnaissante de savoir se contenir. Alors, pourquoi avait-elle si mal, comme si on venait de porter atteinte à quelque chose de vital en elle ? Pourquoi avait-elle le sentiment qu'on venait de lui voler son rêve le plus précieux ?

Mac la regardait, de son regard bleu-gris si perspicace, et qui ne lisait en elle que trop clairement.

— Ne dis rien, lui intima-t-il. Tu es fatiguée et tu n'as pas les idées claires. Demain matin, tu verras les choses autrement.

Blessée par cette gentillesse qui l'avait pourtant tant réconfortée un instant plus tôt, elle annonça :

— Je vais d'abord te montrer ta chambre.

— Inutile, je la trouverai bien tout seul.

— C'est au premier, la porte au milieu du couloir, à droite. Je laisserai une lampe allumée pour toi.

— Merci.

— Bonne nuit, alors.

— Toi aussi.

Elle se retira avec autant de dignité qu'elle put.

— Je sais que Kirk Thayer avait de l'argent, dit Jessie. Plus que son travail ne le laissait penser. Il roulait dans une voiture de luxe, et il couvrait June de cadeaux.

Ils étaient réunis dans la cuisine, après avoir pris leur petit déjeuner. Le soleil inondait la pièce, et Melissa s'était placée à contre-jour pour Mac, comme si elle avait voulu lui dérober son regard.

— A-t-il jamais mentionné des parents, des frères et sœurs, des cousins ? s'enquit-il. Quelqu'un qui pourrait nous fournir une indication sur l'endroit où il a pu emmener le bébé ?

— Il a seulement dit qu'il avait des parents à Portland. Il n'était jamais très disert sur son propre compte. Sans doute parce que je désapprouvais sa liaison avec June.

— Pourquoi ça, Jessie ?

— Il était trop possessif. S'il n'avait tenu qu'à lui, elle n'aurait jamais remis les pieds dans cette maison. C'est pour ça qu'elle a fini par le quitter.

— Et June ? Elle ne s'est jamais confiée à vous ?

— Non. Quand leur relation a pris fin, elle était enceinte de sept mois et ne pensait qu'au bébé. Elle n'avait aucune envie de parler du père, et je n'ai pas cherché à forcer ses confidences. J'aurais sans doute dû insister mais…

— Vous ne pouviez pas deviner ce qui se passerait. Ne vous reprochez rien.

— Il me semble que vous devriez interroger June, intervint Melissa.

C'était la première fois qu'elle prenait la parole, et il sut fort bien que si elle se montrait aussi distante, ce n'était pas à cause de cet interrogatoire, mais à cause de ce qui s'était produit la veille.

— Je suis d'accord, dit-il en lui décochant un regard bref. Jessie, à votre avis, June est-elle en état de répondre à quelques questions ?

De nouveau, Melissa intervint :

— Il le faut bien. Sinon, vous aurez perdu votre temps en venant ici.

— Pas nécessairement. Je compte aussi parler aux collègues de Thayer. Mais étant donné qu'elle a vécu avec lui, June est sûrement la meilleure source d'information possible.

— Maman, s'enquit Melissa, est-ce qu'il ne faudrait pas demander l'autorisation des médecins ?

— Je ne pense pas. Si nous les prévenons pour qu'ils puissent parer à toute éventualité, ça ne devrait pas poser de problème.

Jessie fit rouler sa chaise loin de la table en ajoutant :

— On peut y aller dès que vous serez prêt, Mac.

Cueillant Melissa au passage alors qu'elle s'apprêtait à quitter la pièce elle aussi, il lui dit :

— Vous êtes de méchante humeur à cause d'hier soir. Si vous ne voulez pas perturber votre mère, je vous suggère de vous ressaisir.

— Je l'ai fait dès hier et j'en suis soulagée !

Il sourit à la pensée que c'était LUI qui s'était dominé, et répliqua :

— Tant mieux. Mais affichez un air serein, car votre sœur n'a nul besoin de voir des visages sinistres.

— Laissez-moi juger de ce qui convient à ma sœur, et contentez-vous de faire le job pour lequel je vous ai engagé !

Il croisa les bras et la toisa d'un air dur — celui qui, du temps où il était flic, avait raison des suspects les plus récalcitrants.

— Ne me faites pas regretter d'avoir accepté, dit-il doucement.

Elle vacilla, finit par concéder :

— Désolée. Je suis un peu… à cran.

— C'est compréhensible. Ne vous trompez pas d'ennemi, c'est tout.

A première vue, June semblait aller mieux. Au lieu d'être inerte dans son lit, elle était lavée et vêtue de frais, et installée dans le salon de jour. Mais Melissa contasta aussitôt, en l'embrassant, que la pauvre gardait un regard vide et ne réagissait pas.

Elle se laissa emmener par Jessie, telle une somnambule, dans un coin tranquille de la véranda ensoleillée.

Mac, qui suivait avec Melissa, murmura à voix basse :

— Bon sang ! Depuis combien de temps est-elle dans cet état ?

— Presque un mois.

— Elle ne va pas bien du tout, la belle. Pas bien du tout.

— Vous comprenez pourquoi je tenais tant à vous convaincre, maintenant ?

— Oui, et je vous promets de faire de mon mieux.

Ce mieux était plus que Melissa n'aurait jamais osé l'espérer. Quand Mac se présenta à June, elle crut voir dans le regard de sa sœur comme une lueur d'espoir. Habilement, et avec sensibilité, il sut la faire sortir de l'univers cotonneux où elle s'était réfugiée.

Et, en peu de temps, il apprit un certain nombre de choses : Kirk Thayer avait pas mal de connaissances mais aucun ami ; il parlait rarement de son ex-femme, conservait néanmoins dans son appartement de nombreuses photos de son fils. Il était généreux, mais se servait de sa richesse pour contrôler et manipuler les gens. En apprenant que June était enceinte, il avait développé une inquiétude excessive au sujet de la santé du bébé, au point de tout interdire ou presque à la future maman. Constamment, il appelait celle-ci au travail, l'accompagnait à chaque rendez-vous médical. S'il avait été vraiment bouleversé lorsqu'elle lui avait déclaré qu'elle ne l'épouserait pas, il n'avait pas eu de réaction violente. Rien, chez lui, n'avait laissé supposer ce qu'il ferait à la naissance du bébé.

— Que pouvez-vous me dire sur sa famille ? demanda Mac.

— Laquelle ?

Il parut interloqué.

— Je ne veux pas parler de son ex-femme et de son fils, mais de ses parents.

— Oui, j'ai bien compris. Mais lesquels ?

— Les trois quarts des gens en ont deux.

— Pas Kirk. Il avait ses parents biologiques, et ceux qui l'ont adopté.

— J'ignorais qu'il était adopté ! s'exclama Melissa. Tu ne m'en avais jamais rien dit, June.

— Tu ne m'as jamais posé la question.

— Mais pourquoi n'en as-tu pas parlé de toi-même ? intervint Jessie.

— Parce que tu ne l'aimais pas, maman. Tu ne voulais rien savoir de lui.

— Moi si, dit Mac avec douceur, ramenant June au but de l'entretien. Si vous me disiez tout ce qu'il vous a raconté à ce sujet ?

— Sa mère biologique, qu'il appelait toujours sa « vraie » mère, l'a abandonné lorsqu'il avait neuf ans.

— Il était fils unique ?

— Non, il avait une petite sœur, que sa mère a gardée.

— Vous savez pourquoi ?

— Ils étaient très pauvres. Elle ne pouvait pas élever deux enfants.

— Alors, il a été placé dans un foyer d'adoption et il a trouvé des parents adoptifs ?

— Oui. Et je crois que c'étaient de braves gens qui le traitaient bien. Mais ce qu'il voulait, c'était sa vraie famille, les Thayer. Il a dépensé des milliers de dollars pour retrouver la trace de sa sœur.

— Il a réussi ?

— Oui, elle vit à Portland.

Mac lança un regard éloquent à Melissa.

En fait, la police de Portland, contactée, n'avait pas trouvé trace de Kirk Thayer là-bas. Il n'y avait pas séjourné depuis au moins un an.

— Ses vrais parents s'appelaient Thayer, donc, reprit Mac. Il n'a jamais porté le nom de ses parents adoptifs ?

— Si, au début. Mais il a repris son « vrai » nom il y a quelques années. Après son divorce, je crois.

— Avant de vous rencontrer, donc, dit Mac qui prenait des notes dans son carnet. Est-ce que vous connaissez le nom de ses parents adoptifs ? Est-ce qu'il était en contact avec eux ?

— Pas beaucoup. Mais je les trouvais drôlement gentils. Ils lui envoyaient des cadeaux à Noël et pour son anniversaire. Quand ils ont su que j'étais enceinte, ils m'ont fait parvenir de très jolis vêtements.

A ce souvenir, June se recroquevilla et se mit à triturer sa jupe d'un geste compulsif.

— Ils sont trop petits pour elle, maintenant.

— Ne t'en fais pas, ma chérie, intervint Jessie en caressant la main de sa fille. Lorsque Angela sera de retour à la maison, nous lui en achèterons d'autres.

— Elle ne reviendra pas, gémit June. Il l'a emmenée dans un endroit où on ne peut pas la trouver.

— C'est ma faute, murmura Jessie, dont le courage céda face à la détresse de June. Si je l'avais mieux accueilli…

— Tu n'y es pour rien ! s'écria Melissa. C'est lui le coupable ! Et on retrouvera Angela. Mac la retrouvera ! Dites-le-lui, que vous la retrouverez, Mac !

Comme il ne répondait pas tout de suite, June fondit en larmes. Il referma son calepin d'un geste sec.

— Emmenez votre mère faire un tour, Melissa, dit-il avec calme, sans rien laisser transparaître de ses intentions. Laissez-moi seul avec votre sœur.

— Pas question. Dans l'état où…

— Faites ce que je vous dis.

Il avait parlé sans hausser la voix, mais d'un ton qui n'admettait plus de réplique.

— Vous pourrez nous retrouver à la cafeteria, déclara Jessie.

— Nous resterons près du seuil, rectifia Melissa. Vous n'avez pas intérêt à la bouleverser plus que vous ne l'avez déjà fait.

Mac haussa les épaules, se tournant vers la malade.

— Eh ! l'interpella-t-il avec douceur, ne pleurez pas comme ça, ma douce. Nous avons très bien avancé, et je suis sûr que le succès est à notre portée. Encore une question ou deux, c'est tout.

— Je veux mon bébé, gémit June.

— Moi aussi, je veux le retrouver. Alors, dites-moi…

Jessie tira Melissa par la manche.

— Suis-moi, dit-elle. Tu lui as fait confiance au point de l'engager. Alors, laisse-le faire son boulot.

Il les rejoignit dans la cafeteria une minute plus tard, d'un pas si nonchalant et d'un air si dégagé que Melissa sut aussitôt qu'il avait découvert quelque chose, mais qu'il le garderait pour lui.

— Eh bien ! fit-elle, estimant qu'elle avait le droit de savoir ce qu'il avait appris. Comment va June, maintenant ? Vous a-t-elle dit quelque chose d'utile ?

— June souriait lorsque je l'ai quittée et elle avait bien meilleur moral, dit-il en se plaçant derrière la chaise roulante de Jessie pour la manœuvrer. Voilà pour votre première question. Quant à la seconde, j'ai découvert un chaînon manquant qui aurait dû être raccordé voilà déjà des semaines. Et si vous n'avez pas encore pigé de quoi il s'agit, Melissa, c'est que vous êtes moins perspicace que je ne l'imaginais !

6.

— Un chaînon manquant ? répéta Melissa. Mais cette affaire en est pleine ! De quoi voulez-vous parler ?

— Des dispositions légales qui donneraient la garde de l'enfant à June, par exemple.

Saisie, la jeune femme se tourna vers sa mère et demanda :

— Rien n'est prévu à ce sujet ?

— Non, malheureusement, répondit-il à la place de Jessie. J'ai questionné June à ce sujet, et elle n'a pas fait de déclaration officielle en ce sens. Il s'agit de rectifier ça sans tarder. Autrement dit, prendre contact avec un avocat spécialiste du droit de la famille et, éventuellement, faire nommer quelqu'un pour agir légalement au nom de June. Vous, en l'occurrence, Jessie.

— Emmenez-moi à la maison, et je m'y mets tout de suite, répondit cette dernière.

Mac lui planta un baiser sur la joue.

— Voilà une femme comme je les aime ! J'ai su tout de suite qu'on pouvait compter sur vous.

Etrangement piquée de ne recevoir aucun compliment de même sorte, Melissa s'enquit :

— Que puis-je faire ?

— Me guider pour aller là où travaillait Thayer et m'aider à interroger ses anciens collègues. Avec un peu de chance, d'ici à ce soir, nous connaîtrons mieux le personnage et serons plus à même de mettre fin à ses agissements.

— Retrouvons-nous à la maison à 19 heures, suggéra Jessie. Nous ferons le bilan commun à ce moment-là et nous verrons quoi faire ensuite.

Quels que fussent ses défauts par ailleurs, Mac se révélait un extraordinaire stimulateur d'énergie, pensa Melissa. Du moins, en ce qui concernait Jessie et June. Pour sa part, elle ne pouvait en dire autant…

— Je ne comprends pas pourquoi vous faites toute une affaire de cette histoire de garde d'enfant, lui dit-elle un moment plus tard alors qu'ils avaient raccompagné Jessie et roulaient en direction des anciens bureaux de Thayer.

— Parce que vous ne connaissez rien aux rouages légaux et administratifs ! Si June n'a pas officiellement la garde d'Angela, ni la police canadienne, ni la police américaine, ni aucune autre d'ailleurs, ne s'engageront à sa demande dans une véritable enquête.

— Et comment pouvions-nous le deviner ? Qui a jamais dû demander la garde d'un enfant quelques heures après sa naissance ?

— Toute personne dont le droit de regard sur son enfant était compromis. Je suis stupéfait qu'on n'ait pas attiré votre attention sur ce point. Sans documents en règle, aucun département de police n'a le droit de s'emparer d'un enfant, sauf s'il a des preuves qu'il est retenu illégalement ou qu'il est en danger — c'est-à-dire si la personne qui le détient a un passé de violence. Aucun de ces deux cas de figure ne correspond à la situation présente. Un avocat ou un procureur digne de ce nom aurait dû vous en avertir depuis longtemps.

A contrecœur, Melissa admit :

— Je ne pense pas que June ait consulté un avocat quand son bébé a été enlevé. Elle pensait que cela relevait de la police judiciaire.

— C'est compréhensible, mais bien malheureux.

— Vous voulez dire qu'on ne peut pas y remédier ?

Mac réfléchit un moment, tandis qu'elle le guidait vers le parking souterrain de l'immeuble de bureaux. Il logea sa Jaguar dans un créneau mal placé avec une virtuosité stupéfiante, et développa sa pensée :

— Ce n'est pas impossible, non. Mais les tribunaux sont connus pour leur lenteur. De votre côté, vous m'avez chargé de retrouver votre nièce le plus vite possible. Si c'était le cas, que voudriez-vous que je fasse, alors ?

— La rendre à sa mère, bien sûr !

— Comment ?

Elle le dévisagea, interloquée.

— En la prenant et en la lui ramenant à la vitesse éclair, pardi ! Quelle question !

— Je n'en ai pas le droit. A moins qu'elle ne vive dans de mauvaises conditions ou qu'on la néglige. En réfléchissant à ce que je vous ai expliqué, vous devriez comprendre pourquoi.

— Vous n'avez pas de pouvoir légal pour agir, déduisit-elle en pâlissant.

— Exact. Et ce n'est pas le pire.

Melissa eut un coup au cœur.

— Si Thayer a été suffisamment prévoyant pour demander la garde de la petite, et si nous essayons d'emmener sa fille contre sa volonté, il pourra nous faire arrêter pour tentative d'enlèvement. Cela nous vaudra une jolie peine de prison.

— Seigneur ! Est-ce que June est au courant ?

— Non. Il ne m'a pas semblé nécessaire de le lui apprendre, pas plus qu'à votre mère. Navré de faire peser tout le poids sur vous. Peut-être n'aurons-nous pas à affronter ces difficultés, mais je me devais de vous prévenir.

— Vous avez bien fait, il vaut mieux être préparé, dit-elle avec courage. Quoi qu'il en soit, je suis résolue à me battre.

— Bravo ! J'aime cette réaction. Et maintenant, voyons ses anciens collègues. Ils nous fourniront peut-être des arguments contre lui.

Malheureusement, ils n'obtinrent pas grand-chose. Tout ce qu'ils apprirent fut que Kirk Thayer était compétent, plutôt solitaire et du genre passe-partout. Une fois parti, tout le monde l'aurait oublié, s'il n'avait fait la une des journaux après l'enlèvement d'Angela.

Quand ils quittèrent les bureaux, Melissa céda à un accès de découragement. Mais Mac ne la laissa pas s'enliser dans des idées moroses. Il insista pour l'inviter à déjeuner et l'entraîna d'autorité, ne lui laissant que le choix du restaurant.

Ils prirent leur repas au Teahouse, en terrasse, par un temps magnifiquement ensoleillé. Des bateaux à voile dansaient sur les eaux d'English Bay, les montagnes se découpaient sur le ciel estival, et une brise légère venait atténuer la chaleur.

La jeune femme ne put s'empêcher de savourer le moment. Honteuse de cet instant d'abandon, elle demanda :

— Dites-moi ce que June vous a appris. Je suis sûre qu'il y a autre chose et j'estime avoir le droit de savoir.

— Je ne discuterai pas là-dessus !

— Et moi, je l'exige.

— Si vous digériez tranquillement, au lieu de vous énerver ?

— Je n'ai pas de temps à perdre.

— Je vous suggère de le prendre, au contraire, si vous ne voulez pas vous effondrer avant la fin de cette affaire. Une heure ou deux de détente ne grèveront en rien la situation de votre nièce, au point où en sont les choses. Alors, profitez-en, et réservez votre énergie pour le moment où vous en aurez vraiment besoin.

Elle dut s'avouer qu'il parlait d'or et s'efforça de suivre le conseil. Elle s'aperçut qu'elle y parvenait sans trop de peine.

Bien entendu, le fait d'être en compagnie de l'homme le plus séduisant de la ville n'y était pas pour rien, songea-t-elle. En regardant Mac, personne ne se serait douté que c'était un ancien policier. A la fois sophistiqué et décontracté, dans son pantalon brun bien coupé et sa chemise blanche, plutôt mystérieux avec ses lunettes de soleil, il avait une élégance racée, que ne démentait en rien sa silhouette athlétique.

Elle avait du mal à l'imaginer revolver en main. Et pourtant, elle sentait que cet homme-là, en dépit de son sourire de séducteur et de son attitude dégagée, avait en lui quelque chose d'un tueur.

— Mais je ne me trompe pas, elle vous a appris autre chose, n'est-ce pas ? demanda-t-elle, revenant tout de même à la charge.

— Oui, concéda-t-il.

Il attendit néanmoins qu'ils soient en train de savourer un café glacé pour amorcer le sujet.

— Bien. Je commence par quoi ? Le bon ou le moins bon ?

Soudain emplie d'appréhension, elle dit très vite :

— Le moins bon. Débarrassons-nous-en, s'il vous plaît !

— Votre père est de retour en ville. Il a pris contact avec June.

— Quoi ?

— Vous m'avez bien entendu : Martin Carr s'est manifesté. Apparemment, il a appris ce qui s'était produit — par les médias, sans doute —, et est revenu ici pour apporter son soutien moral à June.

— Du soutien moral ! Pff ! Comme s'il savait ce que c'est !

— Relax, la belle, conseilla de nouveau Mac. Vous vous échauffez encore.

Melissa lutta pour se contenir. Martin Carr avait causé suffisamment de dégâts, elle n'allait pas le laisser lui gâcher l'existence une fois de plus !

— Ah, voilà qui est mieux, commenta Mac en voyant qu'elle semblait s'être dominée. Est-il impossible qu'il essaie de bien agir, pour une fois ?

— Oui ! Il n'a pas une once de sens moral !

— Pourquoi êtes-vous si catégorique ? Parce qu'il a plaqué sa famille, ou parce qu'il a plaqué une épouse infirme ?

— Choisissez la version qui vous plaît, répliqua-t-elle amèrement. Les deux sont valables.

— Vous le rendez responsable de l'accident de votre mère ?

— C'est lui qui conduisait la voiture, bon sang ! s'écria Melissa.

Visiblement interdit, il lâcha :

— Je l'ignorais. Vous ne m'avez pas précisé comment elle est devenue infirme, et je n'allais certes pas vous interroger là-dessus.

— Eh bien ! je vais vous le dire. Mon père est un homme charmant et charmeur, très beau, et du genre persuasif. Sa philosophie de l'existence c'est : vivre pleinement tant qu'il en est temps. En clair, il fait ce qui lui plaît sans se soucier de ceux qu'il prétend aimer. Ma mère l'adorait, nous l'adorions toutes les trois. Il était la prunelle de nos yeux. Mais…

Elle s'interrompit sur un sanglot, farfouilla dans son sac en quête d'un mouchoir pour étancher ses pleurs. Elle ne voulait pas que Mac la croie au désespoir alors qu'elle était en colère.

Il devina la suite :

— Mais ce qu'il avait à la maison ne lui suffisait pas.

Avec un rire sarcastique, au milieu de ses larmes, elle parvint à railler :

— Ah, parce que vous êtes voyant extralucide, maintenant ?

Il hocha la tête, en homme qui en a vu.

— Oh, je connais le genre ! Certains hommes ne peuvent jamais se contenter d'une seule femme.

— Ma mère l'a découvert pour son malheur.

Mac resta songeur un moment et puis observa :

— Si je puis me permettre, j'ai l'impression qu'elle a surmonté ça. Elle m'a paru très équilibrée.

— Vous ne l'avez pas connue autrefois, vous n'avez pas été témoin de tout le mal qu'il lui a fait, et du changement qui s'est opéré en elle. Elle était pleine de vie, très… remuante et si amoureuse de lui que les gens en étaient frappés. June n'était qu'un bébé, elle ne se souvient pas vraiment du couple qu'ils formaient. Mais moi, je les trouvais plus merveilleux que des stars de cinéma.

— C'est-à-dire ?

— Avec lui, la plus ordinaire des journées devenait magique. Il débarquait à la maison et, sans raison, arrachait ma mère à la préparation du dîner pour la faire valser à travers la cuisine. Il lui apportait des roses, laissait des présents sur son oreiller chaque fois qu'il devait partir en voyage d'affaires parce qu'il détestait être séparé d'elle. Et puis…

— Elle a découvert qu'il ne partait pas seul.

— Oui.

— Quelqu'un le lui a appris ?

— Pendant un bal de Noël, elle a surpris sans le vouloir la conversation de deux de ses amies. Le mari de l'une avait vu mon père en train de réserver une chambre avec une femme très… démonstrative dans un hôtel de Montréal. C'était une personne que ma mère connaissait, qu'elle avait accueillie chez elle, et qui était présente à la soirée.

— Et ?

— Maman a mis papa au pied du mur. Il n'a pas nié. Elle est partie, il lui a couru après, a insisté pour la ramener à la maison en voiture. Il neigeait, il a quitté la route et a embouti un arbre. La suite, vous la connaissez.

— Je suis navré.

— Alors, inutile de vous dire qu'il ne sera pas le bienvenu s'il ose remettre les pieds chez nous ! s'exclama Melissa d'une voix frémissante.

Puis, ayant laissé échapper un soupir saccadé, elle regarda de nouveau Mac. Elle s'était ressaisie.

— J'aimerais bien connaître la bonne nouvelle, maintenant.

— June m'a donné l'adresse des parents adoptifs de Thayer, dit-il en la prenant par la main. Prochaine étape, San Francisco ! Alors, allons réserver nos billets d'avion. Avec un peu de chance, on sera là-bas avant demain soir.

— Pourquoi on ne leur téléphone pas pour les interroger ?

— Il ne s'agit pas d'une enquête officielle, Melissa. Rien ne les oblige à coopérer, et il leur sera facile de nous raccrocher au nez. Il en ira tout autrement si nous nous présentons sur leur seuil. De plus, on peut se faire une meilleure idée des gens lorsqu'on les a en face de soi. Un observateur exercé peut capter des choses qui ne transparaissent pas dans les mots ou l'intonation : de la tension, une attitude évasive…

Dès qu'ils furent dans la Jaguar, il demanda en démarrant :

— Où est l'agence de voyages la plus proche ?

— Dans le centre commercial de Park Royal. Prenez à gauche et suivez les indications sur les panneaux.

Ils quittèrent le centre, munis de leurs billets d'avion, d'un sac à provisions rempli de foie gras, de fromage, de gibier, de vin, et d'un bouquet de fleurs. Puis ils prirent le chemin du retour vers la maison de Jessie.

— Tiens, elle a de la visite, annonça Melissa alors qu'ils se garaient derrière la BMW noire qui suscitait ce commentaire. Ou alors, la femme de ménage a gagné au loto.

Mais le sixième sens de Mac était déjà en alerte. Dès qu'ils entrèrent dans la maison et entendirent des voix venues du jardin de derrière, il sut ce qu'ils allaient découvrir. Il abandonna le sac de provisions sur la table de la cuisine, et tenta de retenir Melissa avant qu'elle ait poussé la porte-fenêtre qui donnait sur la cour.

— Melissa, non !

Trop tard. Quand il l'eut rejointe, l'homme de haute taille assis face à Jessie devant la table en fer forgé s'était levé, tandis que Melissa, figée, était en état de choc.

— Salut, mon bébé, dit Martin Carr.

Elle l'ignora.

— Que fait-il ici ? demanda-elle à Jessie. Maman, pourquoi as-tu autorisé cet homme à entrer chez toi ?

— Voyons, Melissa, dit Mac en l'incitant à se contenir d'une pression sur l'épaule.

Elle s'écarta, en disant :

— Maman ?

Tout en passant une main nerveuse dans sa chevelure argentée, Martin Carr expliqua :

— Nous parlions, mon bébé, c'est tout. Une famille doit être unie pendant une épreuve.

— Unie ! s'écria Melissa avec un mépris cinglant. Ah, parce que tu connais le sens de ce mot-là ? Tout ce que tu as montré jusqu'ici, c'est le don de semer la zizanie et de disparaître.

Une expression peinée passa sur le visage encore beau de Martin Carr.

— Il faut laisser le passé de côté. Cela n'est pas bon de…

Mais elle l'interrompit, railleuse :

— Tu n'as pas d'autre endroit où aller ? Chez une de tes maîtresses, peut-être ? Ou tu as perdu ta séduction ? Est-il possible que ces dames ne tombent plus à tes pieds, maintenant que tu n'es plus de la première jeunesse ?

Martin Carr eut l'air de se décomposer. Alors Mac estima qu'il était temps de mettre une sourdine au conflit.

— Nous n'avons pas été présentés, je crois ? dit-il en s'approchant du père indigne. Je suis Mac Sullivan.

Martin Carr lui donna une poignée de main ferme, en disant avec émotion :

— Jessie m'a parlé de vous. Nous vous sommes très reconnaissants de votre aide. Ma fille a de la chance d'avoir un homme tel que vous à ses côtés. Vous prendrez bien un verre de vin ? Et vous nous direz ce que vous avez appris.

— Cela ne te regarde pas ! siffla Melissa.

— Melissa, intervint paisiblement Jessie, que cela te plaise ou non, Martin est ton père, et c'est sur mon invitation qu'il est venu ici. Je te demande de le traiter avec courtoisie, comme n'importe lequel de mes invités.

— Non, mais je rêve, maman ! ironisa Melissa. Mais je commence à comprendre : tu savais qu'il allait voir June et tu n'as pas jugé bon de m'en avertir !

— Ta mère n'était au courant de rien, intervint Martin. Jusqu'à cet après-midi, elle ignorait que j'étais en ville, et elle ne mérite pas ton mépris. Si tu veux te mettre en colère, mon bébé, prends-t'en à moi, pas à elle.

— Je ne suis pas ton bébé, grommela Melissa entre ses dents serrées. En ce qui me concerne, je ne te considère pas comme mon père.

Martin Carr marqua un mouvement de recul. L'image qu'il donnait — celle d'un homme proche de la soixantaine s'évertuant à paraître quinze ans de moins — s'effondra d'un coup. Il toussa, desserra sa cravate d'une main tremblante. S'il était choqué par ce reniement, Jessie, elle, en fut effondrée.

— Je t'en prie, Melissa, retire ces paroles ! implora-t-elle.

— Désolée, maman, je ne peux pas. Tu peux choisir d'oublier ce que cet homme nous a fait, mais moi, je n'oublierai jamais.

Là-dessus, Melissa tourna les talons, les laissant tous trois passablement mal à l'aise, à écouter la porte d'entrée qui claquait tel un coup de fouet.

Comme Jessie laissait échapper un cri de détresse, Martin Carr s'inclina pour lui entourer les épaules d'un bras réconfortant.

— Je vous en prie, Mac, implora-t-il, allez chercher notre fille. J'irais bien moi-même, si je pensais que ça pouvait servir à quelque chose. Mais je crois que je serai plus utile en restant auprès de ma femme.

— Très bien, fit Mac.

Il trouva Melissa au bout de l'allée d'accès, assise sur un rocher, face à la mer. Il s'installa près d'elle en silence, laissa passer une dizaine de minutes pour lui laisser le temps de se reprendre, et finalement la tira de ses sombres pensées.

— Il faudrait que nous discutions de ce qui vient de se passer, Melissa. Vous avez dit des choses très dures.

— J'ai dit la vérité, fit-elle sans tourner la tête vers lui. Je le hais.

Mac hésita sur la réponse à apporter, puis décida que la vérité appelait la vérité.

— Vous peut-être, mais ce n'est pas le cas de votre mère. Elle est toujours amoureuse de lui.

La réaction ne se fit pas attendre : Melissa se tourna vers lui avec véhémence, en s'écriant d'un air scandalisé :

— Vous êtes dingue !

— Allons, allons, fit-il. Elle le regarde comme ma mère regardait mon père. Et, quelles que soient les fautes qu'il a commises, je dirais que votre père n'est pas indifférent.

Melissa fut carrément horrifiée, cette fois.

— Cela me rend malade !

— Vous feriez mieux d'accepter les choses, vous n'y pouvez rien changer. Votre mère a eu le cœur brisé. Vous ne voulez tout de même pas que ça recommence… et par votre faute, cette fois ?

— Je lui parlerai. Je lui rappellerai que nous avons été très heureuses sans lui. Si elle doit choisir entre lui et nous, c'est nous qu'elle élira.

— Elle ne devrait pas avoir à choisir, souligna Mac.

Poussant un soupir, il attira Melissa contre lui.

— Vous n'êtes plus une gamine, et June non plus. Personne n'est parfait, Melissa, vous le savez bien. Tout le monde commet des erreurs. Accordez à votre père la possibilité de prouver qu'il a tiré la leçon de celles qu'il a commises.

— Vous pouvez vous permettre d'être charitable. Ce n'est pas vous qu'il a trahi.

— Certes. Mais ce n'est pas un imbécile. Il sait qu'il a gravement manqué à son devoir de père et de mari. Est-il donc si impossible que ça qu'il essaie de se racheter au moment où vous êtes dans le malheur ?

— On s'en sortira sans lui, comme les autres fois. Je n'ai pas besoin de lui, et maman non plus.

— Vous vous trompez, décréta Mac. Martin est exactement ce qu'il lui faut.

Elle se retourna vivement vers lui, telle une furie.

— Ah, parce que vous prétendez savoir de quoi elle a besoin ? Pour qui vous prenez-vous ? Vous ne la connaissez pas, et lui encore moins !

— Dans le travail d'enquêteur, il est essentiel de savoir analyser rapidement un caractère. Je me fie à l'instinct de votre mère, Melissa. Elle a perdu l'usage de ses jambes, pas de sa cervelle ! Elle s'est débrouillée sans vous quand vous étiez en Europe. Elle n'a que faire de vous pour chaperon.

— Et alors ? C'est quoi mon rôle ? Je dois tenir la chandelle ?

— Pourquoi pas, ma douce ? dit-il en la serrant plus étroitement contre lui. Vous allez retourner à la maison, annoncer que vous préparez le dîner et inviter Martin à rester.

— Je l'empoisonnerai !

Mac s'esclaffa de bon cœur.

— Alors, c'est moi qui cuisinerai. Vous pourrez vous installer avec lui et votre mère, et bavarder tranquillement.

— Plutôt crever !

— Décidément, c'est une manie ! Mais je suis sûr que vous allez être raisonnable. Par amour envers votre mère qui a d'autant plus besoin d'un soutien en ce moment que nous prenons l'avion demain matin. Et par amour pour votre sœur.

Melissa contempla les lueurs du couchant qui irisaient le profil des montagnes et, dans le crépuscule naissant, sentit sa résistance et sa colère l'abandonner.

Alors, elle éprouva le besoin de se blottir contre l'épaule de Mac.

— Je l'aimais vraiment, avant, sanglota-t-elle.

Emu, il lui baisa affectueusement les cheveux.

— Il n'a pas cessé de vous aimer, la belle.

— Il a de drôles de façons de le montrer.

— Nous sommes comme ça, nous les hommes. Nous ne savons pas toujours ce qu'il convient de dire ou de faire.

En revanche, quand elle leva le visage vers lui pour l'embrasser sur les lèvres, il sut qu'il ne devait pas la contrarier.

Elle avait besoin d'être embrassée, réconfortée, se dit-il, et comme lui-même en mourait d'envie, c'eût été stupide de l'éconduire.

Elle avait une bouche gourmande, douce, généreuse. Elle semblait être née pour le combler, et lorsqu'il lui donna un baiser plus profond, elle accueillit la caresse avec naturel.

Le vaste rocher plat, tiède encore de la chaleur de la journée, était entouré d'une couronne de buissons qui les mettaient à l'abri des regards. Il la sentait prête à se donner, et il aurait pu la prendre, lui transmettre le sentiment d'être désirée, lui faire oublier le choc de ses retrouvailles inattendues avec son père.

— Rentrons, la belle, décida-t-il en s'écartant d'elle avant de se laisser dominer par son trouble sensuel.

Et puis, se dit-il, il n'avait pas envie que cette femme se serve de lui pour se venger de son père.

7.

Le dîner s'annonça tendu, malgré le doux éclairage que diffusaient les bougies. Conformément au souhait de Jessie, la table avait été dressée dans le salon, avec la vaisselle réservée aux invités de marque.

Melissa ne disait rien, mais son regard glacial parlait pour elle, et elle mit un point d'honneur à ignorer Martin alors qu'elle faisait passer le potage au cresson qu'elle avait préparé.

Quand ils eurent fini et qu'elle emporta la soupière dans la cuisine, Mac ramassa les assiettes et la suivit.

— Là, vous voyez ? Ce n'est pas si difficile, dit-il.

— C'est révoltant ! J'aurais dû chasser cet homme à coups de pied au c…

— Ne vous défoulez pas sur la salade, coupa Mac en reculant d'un pas alors qu'elle fouettait une vinaigrette avec fureur.

— Taisez-vous et goûtez, répliqua-t-elle après avoir mélangé les endives qu'elle était en train d'assaisonner. C'est assez relevé, à votre avis ?

— Parfait, assura-t-il en s'exécutant. Et l'odeur qui sort du four est un délice. Vous devez être drôlement douée, si vous arrivez à faire une telle merveille avec de simples poulets.

— Il ne manquerait plus que je sois mauvaise cuisinière, après tout l'argent que j'ai dépensé pour en devenir une bonne ! Et inutile de chercher à m'amadouer par la flatterie.

Après avoir remué la sauce à l'orange et au gingembre qui frissonnait sur le feu, elle prit le saladier en annonçant :

— Retournons-y ! Deuxième round !

Alors qu'ils approchaient du salon, ils entendirent Martin qui déclarait :

— Tu es toujours aussi belle, Jessie.

— Bien voyons ! railla Melissa. Vous avez entendu ça ?

Et elle fit brusquement volte-face, se heurtant à Mac qui la suivait.

— Hop là !fit-il, rattrapant juste à temps le saladier avant qu'il ne se fracasse au sol. Oui, j'ai entendu. Il faisait un compliment à votre mère. Vous aimeriez mieux qu'il l'insulte, peut-être ?

— J'aimerais mieux qu'elle le flanque à la porte.

— Et s'il était sincère ?

Elle le foudroya du regard.

— Ne me dites pas que vous tombez dans le panneau !

— Je pense que vous feriez mieux de piger ce qui se passe, ma chère. Votre mère a fait des frais de toilette, et je doute que ce soit pour vous et moi.

— Je suppose que non, grommela-t-elle à contrecœur. Elle s'habille lorsqu'elle a des invités, et c'est tout ce qu'il est. S'il espère autre chose, il sera déçu ! Parce que je ne vais pas le laisser lui briser le cœur une deuxième fois !

— Ecoutez ! ordonna-t-il en posant le saladier sur la table du vestibule.

Comme elle s'immobilisait pour le considérer d'un air perplexe, il la prit par les épaules et la contraignit à lorgner par la porte à peine entrouverte.

— Regardez le visage de votre mère et dites-moi honnêtement ce que vous voyez, souffla-t-il.

— Elle est heureuse, murmura-t-elle. Il y a des années que je ne l'ai vue resplendir comme ça. C'est bien ce qui m'inquiète.

— Allez au-delà des apparences. Votre mère est une femme forte, Melissa. Elle a connu pire qu'une soirée de complicité avec le père de ses enfants ! Vous n'avez pas à jouer les chaperons avec elle !

— Comment pouvez-vous être aussi aveugle ? siffla-t-elle à voix basse. Il se sert de notre situation présente pour reconquérir son affection !

Mac lui caressa doucement la nuque, et tenta de lui faire percevoir les choses sous un jour plus positif :

— Il est à l'âge des bilans. Vos soucis l'ont certainement amené à réfléchir sur les vraies valeurs de l'existence. Alors laissez-lui le bénéfice du doute, et imaginez qu'il désire sincèrement vous aider.

Une expression de contrariété crispa les traits de Melissa.

— Les hommes ! Toujours à se serrer les coudes !

Là-dessus, elle embarqua le saladier en le plantant là.

Jessie avait en effet pris grand soin de son apparence, s'avoua Melissa. Elle portait une jupe rouge cerise, un haut assorti en dentelle, et un petit pendentif en diamants ornait son cou — présent de Martin en des temps plus heureux.

Feignant d'écouter la conversation, la jeune femme se laissa gagner par une tristesse intérieure qu'elle était loin de comprendre. Elle aurait juré, jusque-là, qu'elle se moquait bien des faits et gestes de son père. La douleur que lui causait sa présence n'en était donc que plus perturbante pour elle.

En dépit de ses résolutions à se montrer courtoise envers lui, elle se surprenait constamment à être désagréable, acerbe. Elle serait allée encore plus loin, si l'expression peinée de sa mère et sa propre conscience ne l'avaient retenue.

Au demeurant, ce qui la déstabilisait le plus, c'était l'humilité avec laquelle son père encaissait ses attaques, et qu'elle observait avec autant de colère que de culpabilité.

Pourquoi ne répliquait-il pas ? De quel droit la faisait-il se sentir plus bas que terre alors que c'était lui, l'individu méprisable ?

Elle fut si intensément soulagée en voyant arriver la fin du repas qu'elle se sentit presque grise.

Comme elle vacillait légèrement en se levant, sa mère s'enquit anxieusement :

— Melissa, qu'est-ce qu'il y a ? Tu ne te sens pas bien ?

— Tu ferais peut-être mieux de te rasseoir, conseilla Martin.

Mais Mac demanda, railleur :

— Excès de boisson, la belle, ou excès de vitriol ?

Elle n'osa le regarder en face. Alors que son père semblait prêt à lui pardonner, Mac ne montrait que mépris envers elle.

— Ni l'un ni l'autre, murmura-t-elle en rougissant de honte. Je me suis levée trop brusquement, c'est tout.

— Tu es surmenée, commenta Jessie. Emmène donc Mac au jardin et profite un peu de la soirée. Nous allons finir de débarrasser, ton père et moi, et puis nous apporterons le café sur la terrasse.

Melissa aurait bondi sur l'occasion si Mac ne l'avait court-circuitée.

— Ce serait encore mieux si je vous donnais un coup de main, Jessie, dit-il. Comme ça, Martin et Melissa pourront s'entretenir un peu et faire la paix.

Mais de quel droit osait-il s'interposer ? pensa Melissa, scandalisée et furieuse, avant de s'insurger :

— Je ne pense pas...

Mais il l'interrompit :

— Oh ! mais si.

Exaspérée, elle improvisa :

— J'allais dire que je préférais prendre une douche. Cela me détendra. Cuisiner par cette chaleur m'a fatiguée.

Son père eut la bonne grâce d'acquiescer, en disant avec calme :

— Dans ce cas, je donnerai moi aussi un coup de main pour la vaisselle, ça ira plus vite.

Absurdement, elle se sentit exclue, en les voyant gagner la cuisine ; et vraiment stupide de s'imaginer, en les entendant rire, qu'ils se payaient sa tête.

« Tout ça, c'est à cause de mon père, pensa-t-elle en se réfugiant dans la salle de bains. Quant à Mac Sullivan, je me fiche de son opinion ! »

Mais elle s'avisa aussitôt que l'opinion de Mac comptait en fait beaucoup pour elle.

Beaucoup trop, même, se dit-elle. Enfin quoi, elle ne le connaissait que depuis trois jours ! Qu'est-ce qu'il lui prenait de lui accorder tant d'importance ? Et d'aimer à la folie les baisers qu'il lui donnait ? Dire qu'elle avait été déçue, tout à l'heure, lorsqu'il avait mis fin à leur échange passionné ! Décidément, elle ne tournait pas rond !

Quand elle regagna sa chambre, elle s'étonna de trouver la maison silencieuse. Tout en passant un caftan de soie, elle s'avança sur la terrasse qui donnait à l'ouest du jardin. Au-delà de la pelouse, sa mère montrait ses rosiers à Martin. Tandis qu'ils parlaient, leurs têtes se rapprochaient l'une de l'autre, mais le bruit de l'océan couvrait leurs voix.

Il en allait tout autrement des sons qui provenaient de la chambre de Mac, toute proche, et dont la porte-fenêtre était ouverte.

— Bien sûr, disait Mac. Moi aussi, ça m'ennuie. Mais je te promets de te revaloir ça dès que j'aurai bouclé cette affaire… Oui, ça se révèle plutôt compliqué, mais je ne peux pas revenir en arrière au point où en sont les choses… Comme d'habitude, chérie, tu le sais. On se voit bientôt.

Elle entendit le déclic de l'appareil, puis Mac qui sifflotait entre ses dents, mais ce qu'elle perçut plus fortement que tout, ce fut son intense déception personnelle.

Jusque-là, elle avait préféré oublier que Mac avait d'autres femmes qu'elle dans sa vie ; oublier qu'il avait des préservatifs plein le tiroir de sa table de nuit…

Poussée par le besoin de le voir, de jauger la façon dont il réagissait envers elle, elle s'avança, sans trop savoir ce qu'elle quêtait…

Dès qu'elle fut sur le seuil, il l'aperçut.

— Qu'est-ce qu'il y a ? Je peux faire quelque chose pour vous ? s'enquit-il.

— J'ai entendu des voix et…

— J'étais au téléphone.

« Avec qui ? Comment s'appelle-t-elle ? » faillit-elle demander, dévorée de jalousie, avant de remarquer qu'il était en train de rassembler ses affaires.

— Mais où allez-vous ? questionna-t-elle. On dirait que vous vous apprêtez à partir…

— Oui, je m'installe dans la bibliothèque pour la nuit.

— Puis-je savoir pourquoi ?

— Pour que Martin puisse dormir dans cette chambre.

— Quoi ?

— Vous avez parfaitement entendu. Votre père reste, et un homme de son âge ne va tout de même pas dormir sur le divan.

— Il n'a pas le droit !

Mac haussa les épaules, avec tant de dédain et de lassitude que cela la blessa.

— Votre mère pense le contraire, affirma-t-il. J'irais même jusqu'à dire qu'il aurait peut-être dormi avec elle, si elle n'avait pas peur de vous causer une crise cardiaque.

— Essayez-vous de me dire que c'est ELLE qui lui a demandé de rester ?

— Pigé, la belle.

— Je ne vous crois pas !

— C'est votre problème.

Il passa dans la salle de bains adjacente pour réunir ses affaires de toilette.

— Vous semblez contrarié, observa-t-elle après l'avoir suivi.

— Ah, vous avez remarqué ? ironisa-t-il.

— Vous êtes en colère après moi ?

— Encore gagné ! fit-il avec un rire bref. Mais soyez tranquille, ça ne va pas m'empêcher de dormir sur mes deux oreilles.

Atteinte par cette indifférence, elle lâcha :

— Si c'est à cause de ce que je ressens envers Martin Carr, je n'y peux rien.

— Oh, si, vous y pouvez quelque chose.

— Vous ne savez pas ce que c'est de se retrouver sans père du soir au lendemain.

Il rabattit d'un geste sec la fermeture de sa trousse de toilette et, cette fois, leva les yeux vers elle.

— Justement si, je le sais. Et je sais que j'aurais donné n'importe quoi pour voir revenir le mien, Melissa. N'importe quoi.

— Votre père ne vous a pas trahi, lui.

— Ah, c'est ce que vous vous imaginez ? Vous croyez que je n'étais pas furieux qu'il nous préfère son travail ? Vous croyez que je n'ai pas été fou de rage à l'idée qu'il avait voulu jouer au héros ?

— Ce n'est pas pareil. Il n'avait pas le choix. Mon père, si. Il nous a abandonnées.

— Pour le regretter amèrement pendant des années.

Exaspérée, elle répliqua :

— Cette discussion ne rime à rien. La solidarité masculine vous obligera toujours à prendre son parti.

— Vous feriez mieux de rester neutre, d'attendre de disposer de tous les éléments pour juger. Mais c'est une attitude d'adulte, et vous, vous êtes trop enfant gâtée pour comprendre !

— Ne me faites pas la leçon. Et cessez de supposer que vous en savez plus que moi sur mon père. Il y a mis le temps, pour se soucier de sa famille ! Personnellement, ça ne m'inspire pas la moindre confiance.

— Décidément, vous avez du goût pour manier le couperet, et j'ai horreur de ça. Mais bien entendu, vous vous moquez de mon opinion. Quand on est aussi imbue de ses capacités de jugement que vous l'êtes, on se fiche pas mal des autres !

— De quel droit m'attribuez-vous le mauvais rôle ? s'écria-t-elle, blessée de le voir aussi intransigeant.

— De quel droit n'accordez-vous pas à Martin la possibilité de reconquérir votre confiance ? Votre mère le fait, elle, et pourtant, elle a bien plus à perdre que vous !

— C'est trop risqué.

— Les risques, la vie en est pleine, Melissa, fit Mac en hochant la tête.

Il continua avec plus de douceur :

— Vous prenez un risque chaque fois que vous traversez la rue, la belle. Ou que vous retirez de l'argent au distributeur sous le nez d'un SDF rongé par la faim.

— Ce n'est pas pareil. Là, j'ai peur, avoua-t-elle d'une voix mal assurée.

— Vous n'avez pas eu peur de m'affronter malgré ma réputation. Vous n'avez pas peur de prendre Thayer en chasse.

— J'aurais peur si vous n'étiez pas là. Je vous fais confiance.

— Faux ! En réalité, vous ne vous fiez à personne. Sinon, vous comprendriez ce que j'essaie de vous expliquer. Vous accorderiez à Martin le bénéfice du doute. Et vous respecteriez la façon de voir de votre mère, pour qui seule la mort peut empêcher de restaurer des liens défaits.

— Bref, les autres ont raison, et j'ai tort. Et en un sens, c'est juste, parce que je me suis bel et bien trompée à votre sujet.

— Pourquoi ? Parce que je me permets d'être en désaccord avec vous ?

— Non, dit-elle d'une voix qui se brisait. Parce que j'avais cru comprendre que je comptais pour vous. Vous m'avez embrassée comme si vous me désiriez vraiment. Mais je vois qu'en réalité, ça ne signifiait rien. Vous cherchiez seulement à me soumettre.

— C'est bien ce que je disais : vous n'avez pas confiance en moi. Fort bien, la discussion est close. Bonne nuit.

Il haussa les épaules, souleva son sac du lit et disparut dans le couloir, vers la bibliothèque.

Pour un peu, Melissa aurait tapé du pied tant elle enrageait intérieurement.

Quel arrogant ! se disait-elle. Vraiment, elle le détestait ! Et pourtant, elle le voulait !

Contrariée de se sentir au bord des larmes, elle voulut regagner sa chambre pour se ressaisir et tenter d'y voir plus clair en elle. Mais alors qu'elle faisait volte-face, elle découvrit son père sur le seuil, qui lui barrait la route.

— Tu sembles bouleversée, Melissa. Puis-je faire quelque chose ?

— Tu en as suffisamment fait comme ça ! s'écria-t-elle. Tout allait comme il faut avant que tu débarques. Maintenant, ça a tourné au vinaigre.

— Laisse-moi essayer de remettre les choses d'aplomb.

— Tu comptes y arriver comment, hein ?

— Je voudrais vous offrir mon soutien.

— Nous avons réussi à nous en passer pendant près de quinze ans.

— Je sais.

Martin Carr haussa les épaules, en homme impuissant.

— La culpabilité, c'est une drôle de chose, Melissa. Elle peut engloutir un homme sous la honte, et l'empêcher d'affronter ceux qu'il a blessés. Pire encore, ça l'amène à se punir au point de provoquer le mépris de ceux qu'il aime.

— Où veux-tu en venir ?

— J'aimerais me racheter. Ta mère est prête à m'accorder une seconde chance, et à me permettre de vous aider dans cette terrible période.

— Je ne suis plus un bébé. Je te signale que j'aurai vingt-neuf ans en avril prochain.

— On a besoin d'un père à tout âge.

— Très bien, formulons les choses autrement : tu n'es pas le père dont j'ai besoin.

Il soupira, regarda autour de lui et, finalement, posa le regard sur un tableau commandé pour une fête de Noël, portrait de Jessie avec ses deux filles. Une famille sans homme. Enfin, il se tourna de nouveau vers Melissa, le visage marqué par le chagrin.

— Que faut-il pour que tu me pardonnes, Melissa ? Pour que tu reviennes vers moi ?

— Il n'y a rien à faire. Tu n'étais pas là lorsqu'il le fallait. Il y a longtemps que j'ai appris à me passer de toi.

— Et c'est tout ? Tu n'as rien d'autre à ajouter ?

— Non.

— Tu ne veux pas me dire quel salaud j'ai été ?

— Pourquoi m'y abaisserais-je ?

— Eh bien ! je vais le faire à ta place. Je suis un perdant. Un insensé. J'ai détruit tout ce que j'avais de meilleur dans la vie, et je mérite entièrement ton mépris. Si je disparaissais, le monde serait meilleur. Si j'avais un tant soit peu de décence, j'irais m'enterrer dans un trou. Je ne mérite pas de seconde chance et je n'ai plus le droit de me soucier de la disparition de mon unique petite-fille.

Il marqua un arrêt, la considéra de nouveau, et finalement, demanda :

— J'ai oublié quelque chose ?

— Rien ne manque, dit-elle, furieuse de sentir que sa voix était grosse de larmes.

Il acquiesça, et s'écarta du seuil pour qu'elle puisse passer.

— Bon. Tu te sens mieux ?

— Oui, fit-elle d'une voix étranglée.

— Eh bien, moi pas ! dit sa mère, surgissant de la pénombre, sur sa chaise roulante, pour se placer à côté de Martin. Quand tu insultes ton père, c'est moi que tu insultes. Je l'ai aimé au point de faire des enfants avec lui, et Angela est sa petite-fille de plein droit. J'accueille volontiers son soutien dans un moment où nous avons grand besoin de nous serrer les coudes. Je suis choquée et peinée de voir que tu ignores le courage qu'il lui a fallu pour venir ici aujourd'hui, pour reconnaître ses erreurs et offrir de partager notre malheur. NOTRE malheur, Melissa.

Se sentant trahie de toutes parts, Melissa s'exclama :

— Comment peux-tu être si indulgente ? Je ne te comprends pas, maman !

— Parce que tu n'as jamais envisagé qu'il y eût deux versions de l'histoire.

— Tu veux dire que c'est TA faute s'il nous a quittées ?

— Je te dis qu'il faut être deux pour faire un couple, et pour le défaire aussi, lui assena sa mère. Seuls les principaux intéressés comprennent ce qui rapproche un homme et une femme. Mais je peux te dire ceci : si tu tombes amoureuse un jour, VRAIMENT amoureuse, tu feras bien de te montrer moins rigide. Il faut savoir pardonner et accepter les compromis, pour réussir un mariage. Et tant que tu n'auras pas affronté cela, tu seras très mal placée pour critiquer les autres ! Viens, Martin, j'aimerais te montrer mon album de photos...

Avec tact, Mac laissa les époux tête à tête et alla s'installer sur le canapé de la bibliothèque pour y regarder la télévision. Mais, malgré lui, son attention dérivait sans cesse et, de guerre lasse, il dut affronter les pensées qui le tracassaient.

Comment diable se retrouvait-il aussi fortement impliqué dans la vie de ces étrangers ? se demanda-t-il. Et surtout, comment avait-il pu permettre à cette petite chipie de Melissa de lui taper sur les nerfs ?

Il ne manquait pourtant pas d'expérience sur les femmes, s'objecta-t-il, railleur. Et puis, professionnellement, il savait qu'en cédant à son attirance pour elle, il grevait l'objectivité qui lui était nécessaire pour mener son enquête à bien. Mais, en dépit de sa raison, et en dépit même de ses inclinations naturelles, il se surprenait à penser à elle, et à regretter de lui avoir parlé si durement. Il se demandait si elle pouvait trouver le sommeil… et si, comme lui, elle songeait aux sensations qu'elle avait ressenties pendant leur baiser.

Agité, il éteignit la lampe et gagna la fenêtre. Le jardin était plongé dans les ténèbres, mais, au loin, un bateau de croisière voguant vers l'Alaska dessinait un petit sillage de lumière. Il se pencha pour le suivre des yeux, et perçut alors un bruit léger : quelqu'un pleurait.

Il scruta le patio et finit par repérer une ombre indistincte sous la vigne vierge. Son instinct lui souffla aussitôt que c'était Melissa.

Il hésita.

Devait-il aller la consoler ? se demanda-t-il. Devait-il aller s'excuser ? Certes, s'il avait eu un tant soit peu de bon sens, il aurait oublié ce qu'il venait d'entendre, et serait allé se coucher…

Mais s'il avait eu un peu de bon sens, il n'aurait pas non plus pris parti contre elle pour plaider en faveur du père indigne, s'objecta-t-il.

« Tu ne peux pas t'engager dans chaque affaire comme si elle te concernait personnellement, lui avait recommandé le boss à son entrée dans le département des inspecteurs en civil. Ton boulot, c'est de défendre la loi et d'arrêter les criminels. Mais cela ne t'interdit pas de faire preuve de compassion de temps à autre. »

Autant dire qu'il aurait été lâche de la laisser tomber, songea-t-il en enjambant finalement le rebord de la fenêtre pour aller la rejoindre.

Mais une fois dans l'allée, il délimita exactement sa mission en se parlant à voix basse :

— Contente-toi de lui donner un mouchoir, et ne t'avise surtout pas de lui offrir ton épaule pour pleurer !

Malheureusement, ce fut peine perdue, car dès qu'il la vit, il craqua et la prit dans ses bras.

8.

Dans la classe affaires où Mac avait réservé deux places, Melissa fut soulagée de constater que la large tablette qui séparait leurs sièges interdirait tout geste intime entre eux, tout frôlement involontaire.

D'ailleurs, Mac lui-même semblait vouloir prendre ses distances, et ce fut d'un ton tout professionnel qu'il annonça :

— Nous irons voir les Wagner demain. On a décollé avec près d'une heure de retard, et il sera pratiquement l'heure de souper quand on atterrira. Ensuite, il faudra s'occuper de louer une voiture et de prendre possession des chambres d'hôtel avant l'échéance de la réservation. Enfin, l'essentiel c'est d'être certains que les Wagner seront bien chez eux pour nous recevoir.

— Comment le savez-vous ? fit-elle en se tournant vers lui avec vivacité.

— Je leur ai téléphoné de l'hôpital, hier, après avoir parlé à June.

— Mais vous disiez que vous ne vouliez pas les contacter par téléphone, et…

— Je n'ai pas précisé la raison de mon appel. Je voulais m'assurer de leur présence, sans plus. Afin de ne pas faire le voyage pour rien.

— Vous pensez qu'ils coopéreront ?

— Je ne leur ai pas parlé directement. J'ai eu un certain Jackson, leur majordome. Très stylé, très anglais, comme genre. Il m'a déclaré que monsieur et madame seraient là demain, et accepteraient de me recevoir sur rendez-vous si j'avais un motif valable de les entretenir. Nous aurons peut-être du mal à franchir le seuil, avec un type pareil. Mais Jessie m'a donné une copie du certificat de naissance d'Angela, précisant que Thayer est le père. Cela prouvera du moins que nous ne sommes pas des escrocs qui essaient de forcer la porte.

— Il ne m'était pas venu à l'idée que nous aurions à fournir la preuve de notre lien avec Angela. Heureusement, vous pensez à tout.

— C'est mon job, Melissa. Et puis, vous avez suffisamment de soucis comme ça, dit Mac en l'observant. Mais vous semblez tenir le coup.

— Vraiment ? fit-elle en se détournant vers le hublot et en fermant les paupières pour mettre un terme à la conversation.

Mais comment ignorait-on un homme qui, moins de vingt-quatre heures plus tôt, vous avait menée au bord de la reddition sensuelle ? se demandait-elle. Un homme qui avait semblé vous désirer autant que vous le désiriez et qui pourtant, à la dernière minute, avait eu des scrupules ?

Il était survenu sans crier gare, lui causant une peur soudaine, et l'avait prise aussitôt dans ses bras.

— Oh ! chérie, c'est ce que j'ai dit tout à l'heure qui vous met dans cet état ? lui avait-il murmuré à l'oreille.

Gênée qu'il la découvre en pleurs, elle s'était aussitôt ressaisie.

— Ne vous flattez pas trop ! Vous ne valez pas la peine qu'on verse la moindre larme !

— Alors, c'est à cause de votre père ? avait-il soufflé alors qu'elle tentait, en vain, de le repousser.

— Gagné ! avait-elle raillé en séchant ses larmes.

En fait, les reproches de Jessie l'avaient blessée. Elles avaient toujours été si unies, toutes les deux ! Or, quelques heures après sa réapparition, Martin Carr avait réussi à conquérir la faveur générale, et à entamer la complicité qu'elle avait toujours eue avec sa mère.

Bien entendu, cela n'avait pas duré. Elles avaient fait la paix dès le lendemain matin.

En revanche, elle le reconnaissait, sa relation avec Mac reposait sur un sol beaucoup plus instable, et il n'était pas facile de la définir. Au départ, il n'était que le spécialiste qu'elle avait engagé pour retrouver Angela.

Mais, en quelques jours, il avait acquis une place centrale dans sa vie, faisant naître en elle des sentiments indésirables.

Au point qu'à présent, elle ne pensait qu'à lui, obsédée par la scène de la veille, au lieu de songer à sa nièce…

— Cessez de me combattre, lui avait-il ordonné de sa voix de velours. Même si nous sommes souvent comme chien et chat, nous demeurons des alliés, dans cette affaire. Nous faisons équipe !

— J'imagine que c'est une manie, chez vous, d'appeler les femmes « chérie » ! Je vous ai entendu, au téléphone. « A bientôt, chérie… » Et ce n'est pas tout. J'ai bien compris que vous parliez de moi comme une enquiquineuse !

— Quelle perspicacité ! s'exclama-t-il en riant.

Vexée, elle tenta de le gifler, mais il para aussitôt le coup en lui attrapant le poignet.

— C'est pas gentil, ça, la belle, fit-il avec un nouveau rire qui, cette fois, se nuançait de menace. Et pas très futé non plus. Il n'est pas prudent de s'en prendre à un homme entraîné à réagir face à une attaque mortelle… et capable de donner la mort à son tour, s'il le faut.

— C'est vous qui m'avez provoquée !

— Ah, oui ? Comment ça ?

— En me rabaissant au rang de vos « chéries » !

Un nouvel accès de fou rire le secoua.

— Mais c'est ma mère qui était au bout du fil ! s'exclama-t-il.

— Votre mère ? balbutia-t-elle, consciente de son ridicule.

— A soixante ans, elle sera flattée d'apprendre qu'elle a provoqué la jalousie enragée d'une jolie fille !

— Je ne suis pas enragée !

— Non, seulement en rogne, comme d'habitude !

Alors, elle avait pris le parti d'en rire et s'était exclamée en courant vers la mer :

— Rien de tel qu'un bon bain pour me calmer ! Qui m'aime me suive !

Encore pleine du souvenir de ce qui s'était passé ensuite, elle revécut la scène…

Hardiment, oubliant qu'elle était en chemise de nuit, elle s'avança dans l'océan et, constatant qu'il l'avait déjà rattrapée, l'aspergea d'eau, le mettant au défi de la suivre. Pour un instant, elle oubliait son angoisse et son stress, elle se sentait libre et véritablement joyeuse.

Il la suivit dans l'eau, elle recula jusqu'à s'immerger jusqu'aux hanches. Quand il la rejoignit, sourire aux lèvres, elle sentit qu'il allait lui rendre la monnaie de sa pièce. Il plongea, l'inondant tout entière dans la vague qu'il souleva, et disparut. Ses mains viriles se refermèrent sur ses chevilles, elle perdit l'équilibre et se retrouva happée avec lui sous les eaux.

Ils luttèrent — match inégal mais ludique. Leurs corps s'étaient enlacés, dérivant de concert, emportés dans une sorte de ballet à deux, un peu irréel.

Et soudain, l'atmosphère se modifia, les rires moururent. La gaieté joueuse céda la place au désir, à l'étreinte exigeante. Quand il l'attira à lui, tel un dieu des eaux sous le clair de lune, leur baiser eut la fulgurance ardente de la passion.

Après lui avoir noué les bras autour du cou, elle se laissa soulever par le ressac, qui faisait flotter sa chemise de nuit autour d'elle, lui donnant la forme cotonneuse d'un nuage. Elle sentit, contre son ventre, sa chair virile, et sut qu'ils brûlaient l'un et l'autre du même besoin lancinant.

Il lui donna une caresse hardie, en murmurant contre son oreille :

— Je veux te sentir jouir.

Les mots, autant que la caresse, déclenchèrent en elle une déferlante de sensations, qui lui arrachèrent un petit cri de volupté.

— C'est bon ? murmura Mac.

— Oh, oui ! souffla-t-elle.

Et elle sentit sa main qui saisissait la sienne pour la poser sur son membre viril…

Ce fut à cet instant que le porche de la propriété voisine s'illumina, tandis qu'une voix lançait :

— Va, Tiberius !

Le chien qu'on venait de lâcher ainsi huma un instant les buissons qui bordaient le jardin puis s'aventura sur la plage, où il perçut aussitôt l'odeur familière de Melissa. Avec des jappements joyeux, il s'élança vers elle.

Bien entendu, la magie de l'instant se dissipa aussitôt, remplacée par l'embarras et la honte. Mac fit à Melissa un rempart de son corps tandis qu'elle s'efforçait de rabattre contre elle les pans gonflés et humides de sa chemise de nuit. Mais il ne parut pas regretter l'interruption.

Au contraire, lorsqu'elle rabroua le chien pour le renvoyer d'où il venait, il émit un soupir saccadé et dit :

— Laisse-le tranquille. Il a plus de cervelle que moi.

La voix de Mac, s'élevant au-dessus du vrombissement monotone de l'avion, la tira de cette évocation.

— Euh, oui ? fit-elle, en le regardant d'un air de confusion.

— Je te demandais si tu as plus ou moins fait la paix avec ton père.

La formule correspondait à peu près à la vérité, pensa-t-elle.

— J'aimerais m'excuser pour ma conduite, avait-elle déclaré à son père, après le petit déjeuner. Maman semble attacher une grande importance à ta présence, et c'est une raison suffisante pour que je sois courtoise à ton égard. Tu souhaiterais sans doute que je t'accepte moi aussi sans réserve. Tout ce que je peux te dire, c'est que j'essaierai. Mais ça prendra du temps.

Il n'avait pas répondu, et elle n'avait pas espéré qu'il le fasse. Mais, en se détournant pour partir, elle avait vu qu'il essuyait une larme, et cette dignité silencieuse avec laquelle il tentait de masquer sa souffrance l'avait touchée.

Redoutant de l'embarrasser en lui laissant voir son émotion, elle s'était éloignée. Elle n'avait franchi que quelques pas, quand il lui avait dit tout doucement :

— Merci, bébé.

Saisie de l'effet que ces petits mots, qui la ramenaient à son enfance, avaient sur elle, elle s'était contentée de hocher la tête en se retournant vers lui, la gorge trop nouée d'émotion pour pouvoir parler.

Ils n'avaient pas eu d'autre échange direct avant le départ pour l'aéroport.

— Je te confie maman, lui avait-elle dit alors.

— Tu peux compter sur moi.

Puis elle avait étreint sa mère, tout en lui promettant de l'appeler pour la tenir au courant de l'enquête.

Mais elle avait été ensuite incapable d'embrasser son père. C'était lui qui avait pris l'initiative d'avancer vers elle pour la serrer contre lui d'une accolade un peu bourrue.

— Fais attention à toi, bébé…

Et curieusement, cette étreinte à peine esquissée l'avait réconfortée. Un instant plus tard, en regardant son père et sa mère leur faire au revoir d'un signe de la main, tel un couple ordinaire, elle s'était sentie comme apaisée.

— Tu n'es pas très bavarde, ce matin, la belle, observa Mac, rappelant Melissa au temps présent.

— Je pourrais en dire autant de toi.

Il haussa les épaules.

— Je réfléchis à la façon d'approcher les Wagner.

— Comme c'est bien de ta part ! ironisa-t-elle, amère à l'idée qu'il ne pensait même plus à ce qui s'était passé entre eux la veille au soir.

Pourquoi fallait-il qu'il soit toujours si pragmatique ? se demanda-t-elle. N'aurait-il pu dire un mot, un tout petit mot, pour lui faire savoir qu'elle n'avait pas été la seule à se laisser captiver par la magie intime et sensuelle de l'instant ?

— A quoi devrais-je songer d'autre, à ton avis ? fit-il innocemment.

— Voyons… Comme tous les hommes, tu sembles te prendre pour un tombeur. Alors, tu pourrais par exemple fantasmer sur l'hôtesse…

— Désolé, mais je n'ai plus l'âge.

— Et peut-on savoir combien tu totalises de printemps ? demanda-t-elle, sarcastique.

— Trente-sept. Je suis assez vieux pour me soucier de la réputation d'une femme. Car là est bien la question, n'est-ce pas ? Tu te demandes pourquoi je n'ai pas repris notre « flirt », lorsque ce fichu chien est parti ?

— En fait, mentit-elle, piquée par cette perspicacité, je me demandais à quel âge tu es entré dans la police.

— 22 ans, juste après avoir obtenu mon diplôme de criminologie… Tu sentais le shampooing et l'eau de toilette, tu sais. C'était agréable. Très attirant.

Attirant ? se répéta-t-elle, exaspérée. Mais elle voulait qu'il la trouve follement séduisante, irrésistible ! Elle voulait qu'il pose sur elle un regard avide et brûlant de désir, qu'il veuille la toucher à tout instant, où qu'ils soient !

Il lui prit la main et, tendrement, expliqua :

— Si je fais l'amour avec une femme, je ne veux pas avoir à guetter l'arrivée éventuelle du voisin. Ce n'est pas l'idéal pour donner et prendre du plaisir.

« Si je fais l'amour », avait-il dit, et non pas « quand », nota-t-elle en trouvant la nuance désobligeante.

— Je m'en fiche, répliqua-t-elle. Hier soir, je me suis laissé prendre au dépourvu, mais ça ne m'arrivera plus.

— A moi non plus, déclara-t-il. Ah, regarde ! Voilà le Golden Gate. On ne va pas tarder à atterrir.

— Tant mieux ! fit-elle pour lui signifier qu'elle était soulagée de mettre fin à ce tête-à-tête.

Car elle était fatiguée de le voir se dérober sans cesse, et de ne pas savoir ce qu'il pensait.

Ils descendirent au Hyatt, où ils avaient deux chambres réservées, à des étages différents. Elle n'eut pas plus tôt défait ses bagages que Mac téléphona.

— J'ai du nouveau, dit-il. Nous en discuterons pendant le dîner. Retrouve-moi dans le hall dans une demi-heure. Inutile de te mettre en frais de toilette, ce sera décontracté.

Ils optèrent en effet pour le restaurant-gril italien simple et sans façons qui se trouvait près de l'hôtel. En dépit des recommandations de Mac, Melissa avait pris la peine de passer une de ses robes préférées, en lin vert amande, qui seyait à sa blondeur et épousait joliment les lignes de son corps.

Après avoir commandé deux formules du jour avec dessert, Mac annonça :

— Alors, voilà : j'ai eu Mme Wagner en personne ; nous sommes invités à prendre l'apéritif avec elle et son mari demain à 18 heures.

Elle fut si stupéfaite qu'elle oublia de lui en vouloir parce qu'il ne l'avait pas complimentée sur sa toilette.

— L'apéritif ! Ça alors ! Comment as-tu fait ?

— Je lui ai dit que nous étions l'oncle et la tante d'Angela, de passage en ville pendant nos vacances, et que nous aurions aimé les saluer.

— Toi, un oncle ?

— Pourquoi pas ? C'est un rôle qui m'est familier, vu que j'ai toute une ribambelle de nièces et de neveux. Nous ne serions pas reçus très chaleureusement si je me présentais en tant qu'ex-flic chargé de clouer au pilori leur fils adoptif !

— C'est sûr, concéda-t-elle, en sirotant une gorgée de vin. Donc, nous sommes censés être frère et sœur ?

— Non. Mari et femme.

— Je n'ai pas très envie de t'épouser, même pour un soir, dit-elle vivement, en réprimant le curieux élan d'excitation qui la soulevait.

— Réfléchis… Les gens confrontés à de parfaits inconnus ont tendance à poser des questions, et je ne suis pas assez au courant de ta vie pour répondre en tant que frère. En revanche, en tant que nouveau marié encore un peu incertain du passé familial de son épouse, je peux être convaincant.

— Cela tient debout.

— Evidemment ! fit Mac, non sans orgueil. De plus, les personnes d'un certain âge ont tendance à se laisser attendrir par les jeunes couples. Il va falloir que tu me laisses mener la conversation. Ce n'est pas le moment de gâcher cette occasion en or.

— Sois belle et tais-toi, c'est ça ? L'idiote de service, quoi !

Il sourit, leva son verre pour lui porter un toast.

— Tu es impayable, on ne te l'a jamais dit ? Tu feras de jolis sourires, tu te montreras très éprise de ton petit mari, et ça passera comme une lettre à la poste. Au fait, il faudra qu'on se mette sur notre trente et un.

Des gens qui ont un majordome ne reçoivent sûrement pas en jean. Tu as emporté quelque chose qui convient ?

— Si ce n'est pas le cas, j'ai encore toute la journée de demain pour faire des achats. C'est plutôt à toi qu'il faudrait poser la question. As-tu quelque chose d'un peu plus classe que ce que tu portes en ce moment ?

— J'essaierai de ne pas détonner à côté de toi, fit-il en battant comiquement des cils. Mais en retour, tu es priée de peaufiner tes manières. Ce n'est pas en lançant des piques à ton petit mari que tu seras convaincante. Il va falloir que tu aies l'air en adoration devant moi, chérie. Cela te paraît dans tes cordes ?

Hélas, oui ! pensa-t-elle. Mon problème, ce sera plutôt de ne pas oublier que ce n'est qu'un jeu.

— Si tu ne me provoques pas, oui, affirma-t-elle.

— Tu en es sûre ?

— Certaine.

— Dans ce cas, tu ne m'en voudras pas de te mettre à l'épreuve ?

— Comment ça, à l'épreuve ? fit-elle, aussitôt mal à l'aise.

— Rien de répréhensible, rassure-toi, lança-t-il d'un ton dégagé. Il s'agit juste d'un petit test. Commençons par le commencement : Comment avez-vous rencontré votre mari, madame Sullivan ?

— Facile. Je suis allée le chercher dans l'Oregon...

— Tu es allée te chercher un mari là-bas ? Bizarre !

— Bien sûr que non, et tu le sais parfaitement. Ne me fais pas dire ce que je n'ai pas dit !

— Désolé, mais pour quelle raison es-tu allée en Oregon, alors ? Et ne va pas raconter que c'était pour engager un ancien flic afin de retrouver ta nièce ! Sinon, adieu ta couverture !

— Eh bien... euh... euh...

— C'est bon, on oublie celle-là et on passe à la suivante. Depuis combien de temps vous connaissez-vous, ma chère ?

— Quatre jours.

— Et vous êtes déjà mariés ? Eh bien !

— Bon, ça va ! Quatre mois, alors !

— Je vois. Et vous vous êtes rencontrés où ?

— Je… je n'en sais rien. Au Canada ?

— Je croyais que vous aviez passé ces deux dernières années en Europe ?

— Oh, bon, d'accord. On s'est rencontrés à Paris. Cela te va ?

— Inutile de prendre la mouche, ma chère. Nous désirons seulement mieux connaître la famille canadienne de notre petite Angela. Votre mari est le plus jeune de quatre garçons, je crois ?

— Non, répondit Melissa avec un sourire satisfait. Il est l'aîné de cinq garçons.

— Vraiment ? fit Mac d'un air rayonnant. Sont-ils tous aussi charmants et aussi beaux que lui ?

Melissa faillit avaler de travers le vin qu'elle dégustait.

— En fait, c'est le vilain petit canard. Mais chut, pas un mot là-dessus devant lui !

— Ils sont enquêteurs de police, eux aussi ?

— Non, il est le seul.

Mac tapa du poing sur la table.

— Bravo ! Tu t'es plantée à huit questions sur neuf. Bref, tu échoues au test dans les grandes largeurs.

— J'ai bien répondu à TROIS questions ! Tu es l'aîné de cinq garçons, tu ne peux pas prouver que tu es plus charmant et beau que tes frères, et tu m'as dit toi-même que tu étais le seul à être entré dans la police !

— Et le fait d'avoir lâché cette information est la plus grandiose de tes gaffes, ma petite ! Les gens, en particulier lorsqu'ils ont quelque chose à cacher, ont tendance à devenir muets quand ils se trouvent en face d'un flic.

Découragée, Melissa s'affaissa sur son siège.

— Je n'avais pas réfléchi. Ce n'est peut-être pas une très bonne idée de faire semblant d'être mariés.

— Si, c'en est une. Si tu t'en tiens à ce que tu sais et que tu ouvres le bec le moins possible, on s'en tirera très bien.

— Bref, je dois te laisser le soin de débiter les mensonges.

— De broder sur la vérité, plutôt.

— Ça commence à me mettre sur les nerfs, cette histoire. Et si les Wagner cachent Thayer, hein ? Et s'ils cherchent délibérément à nous mener sur une fausse piste ?

— Le seul moyen d'empêcher ça, c'est de jouer nos rôles à la perfection. Nous ne pouvons pas nous permettre de les mettre sur leurs gardes ou de les menacer en quoi que ce soit.

— Je n'ai quand même pas l'intention d'arriver là-bas avec un revolver fourré dans mon soutien-gorge, si c'est ce qui t'inquiète !

— Je ne parle pas de ce genre de menace, la belle ! s'esclaffa Mac. Je veux qu'ils se sentent suffisamment à l'aise pour se laisser aller, et ça n'aura pas lieu s'ils nous soupçonnent de ne pas être ce que nous prétendons, ou s'ils sentent ton hostilité à l'égard de leur fils. Donc, on a intérêt à travailler nos rôles. Et comme nous n'avons que la soirée pour ça, il faut s'y mettre illico !

9.

A la fin du repas, ils avaient échangé quantité d'informations, mis au point un récit fictif des circonstances de leur rencontre, de leur mariage, de la vie qu'ils menaient.

Alors qu'ils rentraient à pied à l'hôtel, par cette tiède nuit d'août, Melissa avoua :

— Je t'ai confié des choses que je n'ai jamais confiées à personne.

— Comment ? Je suis le seul à savoir que tu as peur du vide et des araignées ? Bonté divine, ça me donne vraiment barre sur toi ! ironisa Mac.

Elle demeura pensive, ne réalisant pas tout de suite qu'ils en étaient venus à marcher main dans la main, comme font les amoureux.

— Ce n'est pas tellement ce que je t'ai dit en soi…, c'est cette drôle d'impression, comme si je te connaissais depuis longtemps. Par exemple, je n'en reviens pas de t'avoir parlé d'Arthur Hipwell.

— Le crétin qui a échoué à te séduire quand tu étais en terminale et qui t'a fait passer pour une fille facile auprès des garçons de l'équipe de basket ? Ah, c'est dans ces cas-là que ça sert d'avoir un frangin !

— Ou un père.

— C'est à cause de Martin que tu n'as jamais fait confiance à un homme pour une relation sérieuse ?

— Je crois qu'il s'agit plutôt d'un manque d'assurance. Mais je change. Tiens, par exemple, nous allons peut-être avoir des ennuis en rencontrant les Wagner, demain. Eh bien, je n'ai pas peur parce que je me sens à l'abri avec toi.

Il lui serra la main plus fortement.

— Tant mieux, continue à penser ça, surtout si nous nous trouvons dans une situation délicate. Fais-moi confiance pour nous tirer de là.

— Promis, assura-t-elle.

Et elle refusa d'écouter la petite voix intérieure qui lui objectait :« Et si, en fait, tu te sentais à l'abri parce que tu crois avoir trouvé l'homme idéal ? »

Mais c'était absurde d'avoir de telles idées, se dit-elle.

De la même manière, elle trouva stupide d'être déçue quand il la quitta sur le seuil de sa chambre. En homme qui a d'autres soucis en tête, c'était à peine s'il lui avait dit bonsoir. Mais ne l'avait-il pas habituée à ces attitudes déroutantes, dès l'instant où ils s'étaient rencontrés ?

Mac grimpa à son étage en espérant que ce bref exercice physique lui ferait oublier son désir de revenir frapper à la porte de Melissa pour reprendre leur étreinte sensuelle de la veille, là où il l'avait laissée.

— Regarde les choses en face, s'intima-t-il en gagnant, dans sa chambre, la fenêtre qui donnait sur Union Square. Vous n'êtes pas faits pour vous entendre. C'est une fille de la ville, et une ambitieuse. Elle rêve d'ouvrir un restaurant cinq étoiles, d'être connue. Crois-tu vraiment qu'elle pourrait trouver son bonheur à Trillium Cove, où il ne se passe jamais rien ? Et toi, tu te vois établir une relation durable avec elle dans quelque zone urbaine où retentiront des sirènes la nuit ? C'est justement ce que tu as été heureux de fuir en quittant la police !

Mais il s'agissait là surtout d'un raisonnement logique, alors que sa libido n'écoutait que ses pulsions. D'autant plus que la femme à laquelle il songeait avait paru effondrée lorsqu'il l'avait plantée sur le seuil de sa chambre.

Il soupira, tant il était à la torture.

Mais il n'était pas le seul à oublier qu'ils traquaient un ravisseur d'enfant ! s'objecta-t-il. Alors, à quoi bon ces tergiversations, ces raisonnements fallacieux ? Il attendait quoi, au juste, pour faire un pas ?

Melissa achevait de se brosser les dents quand il alla frapper chez elle. En le voyant, elle parut stupéfaite.

— Tu ne devrais pas ouvrir sans t'assurer de l'identité de ton visiteur, la belle. Même dans un bon hôtel comme celui-ci, on ne sait jamais qui rôde dans les couloirs.

— J'ai pensé que c'était la femme de chambre.

— Navré de te décevoir.

— Je n'ai pas dit ça, fit-elle avec nervosité. Pourquoi es-tu revenu ?

— Pour te dire bonne nuit.

— C'est déjà fait.

— Non, la belle. Pas comme je le voulais.

Il regarda la bouche pleine, sensuelle, qui s'entrouvrait de surprise, et ajouta :

— Il y a une chose que nous avons oubliée de répéter en vue de notre rôle de jeunes mariés. Il vaut mieux qu'on soit tout à fait prêts, non ?

— Euh, sans doute… Je n'aimerais pas que notre imposture soit découverte.

— Je pensais bien que tu serais de mon avis. Les amoureux sont très démonstratifs, tu sais, continua-t-il en se rapprochant d'elle. Ils s'embrassent beaucoup.

Avec un soupir voluptueux, elle le laissa prendre ses lèvres.

Si, de son propre aveu, elle n'avait pas beaucoup d'expérience, en tout cas, elle répondait aux baisers avec un érotisme qui avait de quoi vous tourneboule un homme ! songea-t-il.

Insensiblement, il l'entraîna vers l'intérieur de la chambre, refermant la porte d'un geste du pied. Et il l'embrassa, encore et encore.

— Ah, voilà qui est mieux pour terminer la soirée, lâcha-t-il en redressant enfin la tête. Je dormirai mieux, maintenant.

— Mais on n'est pas obligés de s'arrêter là, n'est-ce pas ?

Il la regarda avec intensité, lui laissant le temps de mûrir sa décision.

Mais elle interpréta ce silence comme un refus et elle détourna la tête en murmurant :

— Oublie ça. Je me suis mal exprimée.

— Que voulais-tu dire, Melissa ?

— Ça y est, tu recommences ! s'écria-t-elle.

— Quoi donc ?

— Tu m'appelles Melissa uniquement lorsque je t'ai contrarié pour une raison ou une autre ! Et tu prononces toujours mon nom de ta voix de policier ! L'air de dire : On ne discute pas !

— Je vois, fit-il, retenant un sourire. Dans ce cas, réponds sans te dérober : que voulais-tu dire exactement ?

— Je... je ne sais pas moi, prendre un dernier verre, revoir une dernière fois notre stratégie...

— Ou reprendre les choses là où nous en étions restés hier soir. C'est à cela que tu penses, non ? Et ne me regarde pas de cet air faussement innocent, chérie, dit-il en la suivant jusque derrière le fauteuil qu'elle avait pris pour bouclier. Je ne suis pas tombé de la dernière pluie.

Elle s'échappa à l'instant où il allait la saisir, et répliqua :

— Tu n'es qu'un sadique ! Tu voudrais que je te supplie de me faire l'amour. Et pour cela, tu n'hésites pas à m'allumer pour mieux me laisser tomber ensuite ! Drôle de mentalité !

Il la happa par la taille et, inexorablement, l'attira contre lui.

— Ah, parce que tu me supplies de te faire l'amour ? C'est bien ça, chérie ? Si la réponse est oui, je ne demande pas mieux que d'accéder à ta requête !

— Je n'ai pas besoin de ta condescendance !

— Il ne s'agit nullement de condescendance. Il s'agit de savoir si tu es bien sûre de toi et de ce que tu fais. Nous avons pas mal bu, ce soir...

— C'est ça, dis tout de suite que je suis ivre !

— Je ne prétends rien de tel ! Et je dois être vraiment stupide pour avoir encore des scrupules, alors que je me suis présenté à ta porte dans l'intention de te faire l'amour.

— Eh bien, cesse de parler alors, s'écria-t-elle avec une sorte d'impatience, et passe à l'action !

Mac ne se le fit pas dire deux fois. Le cadre était une invite à lui tout seul : un grand lit, la radio diffusant de la musique en sourdine, du champagne dans le bar, et les lampadaires de la rue projetant sur les murs de la pièce un jeu subtil et doux d'ombres et de lumières... Il avait toute la nuit pour lui faire découvrir ce qu'elle avait manqué jusque-là, et sans danger d'être interrompu...

— Qu'à cela ne tienne ! répondit-il, la plaquant contre lui. Je l'aurais fait plus tôt, si tu ne m'avais pas dit que tu étais vierge.

— Je ne te demanderai pas après si tu me respectes encore, si c'est ce qui te tracasse.

— L'important, c'est que tu te respectes toi-même.

— C'est le cas maintenant, ça le sera encore demain.

Il n'avait jamais fait l'amour avec une femme sans expérience, et il voulait que, pour elle, ce soit aussi proche de la perfection que possible ; il voulait lui léguer de beaux souvenirs...

Alors, il commença en douceur, par des caresses lentes, qui quêtaient des caresses en retour...

Savamment, il la dépouilla de sa robe, puis de ses sous-vêtements de soie fine et dentelle, domptant tant bien que mal sa propre hâte...

— Tu es belle, murmura-t-il en l'embrassant au creux du cou, puis de plus en plus bas.

— Je n'ai pourtant rien d'extraordinaire, répliqua-t-elle en fermant les paupières pour mieux savourer la caresse.

Mais il la trouvait parfaite, avec ses jolis seins fermes et sa taille de guêpe. Il était conscient de lui procurer du plaisir et, alors qu'elle commençait à le déshabiller, il se sentit frémir aussi et pensa : « Contiens-toi, Sullivan, ne bouscule pas les choses... »

Car elle avait beau être novice, elle semblait posséder un don naturel pour le troubler autant qu'il la troublait...

Quand il fut nu lui aussi, et qu'elle le contempla avec une admiration non déguisée, accompagnant son regard d'une caresse intime qui faillit presque avoir raison de lui, il l'entraîna vers le lit.

Dès qu'ils furent allongés, il se consacra à lui donner tout le plaisir qu'il voulait lui faire connaître, heureux de lui arracher gémissements et soupirs, comme si, de sa vie, il n'avait fait l'amour à une femme…

Ce qu'il n'avait pas prévu, c'était qu'elle répondrait avec tant de naïve audace à ses caresses. Il s'était leurré en se croyant le guide et le maître de leurs échanges. Car, bientôt, il perdit bel et bien la tête, lui aussi, et ils gagnèrent ensemble les sommets du plaisir, là où homme et femme ne font plus qu'un.

Il fut surpris d'être profondément touché, affecté même, par l'intensité de l'orgasme de Melissa, la sincérité de sa réaction. Tout en se trouvant ridicule, il tira fierté de la volupté intense qu'il lui avait donnée.

Que diable lui arrivait-il ? se demanda-t-il. Après tout, ce n'était qu'un échange sensuel dont l'engagement affectif n'était pas censé se prolonger au-delà du moment… Et ils le savaient l'un et l'autre. Alors, pourquoi réagissait-il ainsi ?

Il était sûr, en tout cas, qu'il devait s'en aller de cette pièce le plus vite possible, avant de prononcer des mots qu'il regretterait le matin venu. Mais elle était lovée contre lui, tiède et douce, et tellement femme ! Il n'avait pas envie de la quitter pour regagner sa chambre froide et déserte.

Il attendrait qu'elle soit endormie…

Les Wagner habitaient Russian Hill, une sublime maison de style italianisant enclavée dans un jardin en longueur, regorgeant de fontaines et de roses. Jackson, le majordome, en habit impeccable, les toisa comme pour s'assurer qu'ils étaient dignes d'être introduits auprès de ses maîtres.

— J'ai presque honte de ne pas avoir mis un frac, murmura Mac alors qu'ils le suivaient à l'étage, puis, à travers un double salon, jusqu'à une terrasse ensoleillée.

— Tu es parfait, assura Melissa.

Dans son costume gris clair, sur mesure, assorti d'une chemise blanche et d'une cravate de soie, il était l'élégance personnifiée.

— Tu n'es pas mal toi non plus. C'est une nouvelle robe, ou tu l'avais emportée avec toi ?

— Je l'ai achetée ce matin.

« Après m'être réveillée seule dans mon lit. Après avoir découvert que tu étais parti. Après avoir pris seule mon petit déjeuner parce que, selon ton message, tu avais une affaire à traiter et ne serais pas de retour avant midi», faillit-elle ajouter, mélancolique.

— Tu l'as bien choisie, la complimenta-t-il. Ce bleu-vert te sied, ça va avec tes yeux.

— Merci.

— L'alliance ne te serre pas ?

— Non, pas du tout.

Elle effleura brièvement l'anneau d'or gris, piqueté de trois brillants, comme si elle touchait un talisman. Elle n'en revenait pas que Mac eût pensé à l'acheter. Cela avait beau être un faux anneau de mariage, il représentait, pour elle, la nuit de magie qui venait de s'écouler ; elle y attacherait toujours une valeur sentimentale particulière.

— Monsieur et madame Sullivan, madame, annonça Jackson en grand style, tandis qu'une femme d'environ cinquante-cinq ans se levait d'un fauteuil en rotin pour les accueillir.

Elle était mince, élégante, et sa robe flottante de soie, imprimée de fines violettes, fleurait discrètement le luxe. Pleine de charme, elle possédait une voix bien modulée.

— Comment allez-vous ? J'ai été si contente que vous preniez contact ! Veuillez vous asseoir, je vous prie. Mon mari a été appelé au téléphone mais il ne va pas tarder à nous rejoindre, précisa-t-elle en leur désignant un siège pour deux. Je me suis dit que nous pouvions profiter du jardin, par une si belle journée. Vous connaissez bien San Francisco ?

Mac répondit :

— Oui. J'y suis souvent venu dans le passé.

Mais simultanément, Melissa annonça :

— C'est notre première visite.

Puis elle se tourna vers lui, saisie d'avoir commis d'emblée un pareil faux pas. Mac lui prit la main et enchaîna avec aisance :

— Ma femme veut dire que c'est la première fois qu'elle vient ici, et que c'est notre première visite en amoureux dans cette ville.

— Vous êtes donc de jeunes mariés ! s'exclama Mme Wagner. J'aurais dû m'en douter, à la façon dont vous vous regardez. Seriez-vous en voyage de noces, par hasard ?

— En un sens, oui, dit Mac, serrant la main de Melissa pour lui intimer de se taire. Nous sommes mari et femme depuis si peu de temps que notre lune de miel semble se prolonger indéfiniment.

— C'est merveilleux, n'est-ce pas ? Je me souviens d'avoir éprouvé la même chose, commenta Mme Wagner en adressant un sourire radieux à l'homme grand, d'allure fragile, qui sortait sur la terrasse pour les rejoindre en s'aidant d'une canne. Chéri, voici M. et Mme Sullivan, de Vancouver. Même si vous avez plutôt un accent américain, monsieur Sullivan.

— Je suis originaire de l'Oregon, révéla Mac en se levant pour serrer la main du nouveau venu. Mais nous séjournons à Vancouver en attendant de régler certains problèmes dans la famille de ma femme.

Après les avoir salués l'un et l'autre, et avoir pris place sur un fauteuil à dossier droit, M. Wagner s'enquit :

— Pas de soucis, j'espère ?

— Sûrement pas, chéri ! s'écria Mme Wagner. Figure-toi que ce sont de jeunes mariés, et je suis d'avis que nous fêtions ça avec du champagne. Après tout, notre visiteuse est la sœur de June, c'est comme si elle faisait partie de notre famille.

— Certes, le champagne s'impose ! approuva M. Wagner. Jackson, apportez-nous donc une bouteille, s'il vous plaît !

Un instant plus tard, ils savouraient des coupes d'excellent vin, et bavardaient agréablement.

Bientôt, Mac estima l'ambiance assez favorable pour passer aux choses sérieuses.

— Je dois vous dire que nous ne sommes pas seulement venus vous rendre une visite de courtoisie. Nous avons des soucis, monsieur Wagner, ainsi que vous l'avez deviné. Et nous espérons que vous pourrez nous venir en aide.

Si James Wagner souffrait d'un léger handicap corporel, il avait, en revanche, l'esprit particulièrement vif. Il posa sur Mac un regard aigu.

— Cela a un rapport avec notre garnement de fils, n'est-ce pas ?

— Je le crains, monsieur.

— J'aurais dû m'en douter ! fit James en donnant un coup de canne sec et sonore contre le sol de la terrasse. Voilà des mois qu'il nous inquiète, Sadie et moi. A-t-il pris la poudre d'escampette et abandonné votre sœur, madame Sullivan ? C'est ça, le problème ?

Melissa se tourna vers Mac, hésitante. Mais comme il lui serrait cette fois la main en signe évident d'encouragement, elle répondit :

— En fait, c'est ma sœur qui a renoncé au mariage.

— Bien joué de sa part ! décréta le père de Kirk. Mais il y a autre chose, n'est-ce pas ?

Voyant le regard que Melissa lui lançait, Mac l'encouragea de nouveau, par la parole, cette fois :

— Vas-y, chérie. Parle-leur du bébé.

— Mon Dieu ! s'écria Mme Wagner. Est-il arrivé quelque chose à notre petite-fille ? C'est pour ça que Kirk ne nous donne plus signe de vie ?

— Je crains qu'il ne se soit enfui avec elle, avoua Melissa qui regrettait de ne pouvoir adoucir la brutalité de cette nouvelle. Vous n'êtes pas les seuls à ignorer ce qu'il devient, madame Wagner. Personne ne sait où il se trouve, ou comment prendre contact avec lui.

Livide, la pauvre Sadie se tourna vers son époux en murmurant :

— Seigneur, James, qu'est-ce que cela signifie ?

— Autant voir les choses en face, Sadie. Si ce que nos hôtes nous ont dit est vrai, notre fils s'est placé du mauvais côté de la loi. C'est bien cela, monsieur Sullivan ?

— Je crains que oui.

— Il doit y avoir erreur ! protesta Mme Wagner en se prenant le visage à deux mains. Nous avons élevé Kirk de notre mieux, en lui apprenant à distinguer le bien du mal. Il a dû emmener le bébé pour le montrer à des amis. Peut-être même viendra-t-il nous voir, n'est-ce pas ?

— J'en doute, lâcha Mac. En fait, il a enlevé sa propre fille.

— Dans ce cas, il faut mettre la main sur lui ! Il doit rendre des comptes à la justice, déclara James Wagner. Depuis combien de temps est-il parti ?

— Depuis bientôt deux mois, révéla Melissa après avoir quêté du regard le feu vert de Mac. Il a emmené Angela le jour de sa naissance.

M. Wagner, dont les pommettes s'étaient empourprées depuis un instant, devint livide. Visiblement secoué, il s'enquit :

— Sait-on seulement si cette petite est encore vivante ?

— Non, dit Mac. La police n'a retrouvé ni sa trace ni celle du bébé.

— Donc, vous avez entrepris vos propres recherches. C'est la vraie raison de votre venue, n'est-ce pas ?

— Oui, monsieur, reconnut Mac. Nous espérions que vous auriez une idée de l'endroit où il se cache.

— Il n'est pas ici, si c'est ce que vous insinuez, soutint M. Wagner avec une colère rentrée. Il sait parfaitement que nous ne lui donnerions jamais refuge après un tel acte ! Votre pauvre sœur tient-elle le coup, madame Sullivan ?

Melissa répondit sans joie :

— Pas très bien.

De toute évidence, les parents de Kirk étaient désespérés par ce qu'ils venaient d'apprendre, et elle répugnait à ajouter à leur chagrin.

M. Wagner secoua la tête d'un air désolé.

— La pauvre doit être folle d'inquiétude !

— Plus que vous ne le pensez, dit Mac en entourant Melissa de son bras pour la serrer contre lui. Tout le monde est inquiet, bien sûr. Mais c'est pour la mère que c'est le plus dur, dans un cas pareil.

Mme Wagner, qui n'était toujours pas remise du coup, murmura à son mari :

— Ça recommence, n'est-ce pas ?

Melissa perçut la tension soudaine de Mac, et ne fut pas surprise de l'entendre demander :

— Que voulez-vous dire ? A-t-il déjà agi de cette manière ?

— Bien sûr que non ! s'insurgea Sadie. Kirk n'est pas un criminel !

— Que vouliez-vous dire, alors ? insista Mac, qui n'était pas homme à s'en laisser conter. Que nous cachez-vous ?

— Il a été… malade, autrefois.

— Malade ? Comment ça ?

— Il… il a connu des périodes de… d'instabilité mentale et il a dû… subir une thérapie. Mais il est tout à fait remis.

— Non, il ne l'est pas ! tonna soudain James Wagner. Il a enlevé un bébé, il a pété les plombs ! Arrête de lui chercher des excuses, Sadie ! Depuis que Kirk est entré dans notre vie, il ne nous a causé que des problèmes. Dès le début.

— Et je l'ai trop gâté, tu me l'as toujours dit, James, et tu m'as prévenue que je le regretterais ! s'écria son épouse, craquant d'un seul coup. Tu vas sûrement prétendre que c'est ma faute s'il…

— Votre fils est adulte, intervint Mac avec douceur. C'est lui, le responsable de ce qui arrive, pas vous. Mais il y a tout de même une chose qui m'intrigue. Avant d'apprendre la disparition du bébé, vous ne sembliez pas surpris du long silence de Kirk à votre égard. Et je me demande pourquoi, puisque vous lui êtes visiblement si attachés.

M. Wagner laissa échapper un ricanement amer.

— Cela ne vous surprendrait pas si vous le connaissiez ! Il pouvait se passer des mois sans qu'il se manifeste. Et puis tout à coup, sans crier gare, il surgissait ici et se comportait comme s'il nous avait quittés la veille.

— Et vous ne lui en avez jamais demandé la raison ?

— Bien sûr que si, jeune homme ! Mais nous n'avons pas obtenu pour autant des réponses sensées. Kirk a toujours eu le goût du secret. Pour vous donner une idée, à l'âge de huit ans, il a voulu verrouiller la porte de sa chambre afin que personne n'y entre. J'ai refusé, évidemment.

— Mais moi, je lui ai remis une clé, intervint Sadie. J'espérais lui prouver que nous respections son intimité.

— Tu as toujours cédé à ses caprices, Sadie. Et ça ne t'a jamais valu un mot de remerciement !

Mme Wagner sortit un mouchoir pour se tamponner les yeux.

— Il avait du mal à faire confiance aux gens, voilà le problème, murmura-t-elle. Il manquait de foi en lui-même. Cela tenait au fait qu'il était adopté, je pense. Dès qu'il a été assez grand, il a eu l'obsession de retrouver sa famille d'origine. Il a même changé de nom, il disait que nous n'étions pas ses vrais parents. Il ne comprenait pas que nous l'aimions tendrement. Cela m'a brisé le cœur…

M. Wagner cogna une nouvelle fois le sol avec sa canne.

— Eh bien, moi, j'en ai fini avec ses agissements ! Madame Sullivan, je suis peiné et confus de savoir que mon fils cause tant de souffrances à votre famille. Vous pouvez être assurée de notre coopération pour lui faire rendre compte de ses actes.

— Est-ce qu'il ira en prison quand il sera pris, monsieur Sullivan ? s'enquit Sadie d'un air inquiet.

— Cela dépendra des autorités et de la famille. Et en partie aussi de la façon dont tournent les choses. S'il ramenait l'enfant à sa mère de son plein gré, les charges qui pèseraient contre lui seraient moins grandes, répondit Mac.

Il se leva, amenant Melissa à en faire autant.

— Je crains que nous n'ayons gâché votre après-midi. Je regrette d'avoir eu de si mauvaises nouvelles à vous apporter.

— Oui, dit Melissa, navrée d'avoir inutilement causé la détresse de ces gens, puisqu'ils n'avaient rien découvert. Merci infiniment de nous avoir reçus.

Leurs hôtes se mirent debout, et Sadie Wagner commenta :

— Nous ne vous avons guère aidés, j'en ai peur. Tenez-nous au courant, je vous en prie. Même si nous ne vous sommes pas apparentés, cette petite fille tient une place particulière dans notre cœur. Nous espérions tellement que Kirk trouverait la paix et la tranquillité qu'il n'a pas eue dans son premier mariage !

— Il ne la trouvera avec personne, grommela M. Wagner. Ce qu'il veut, c'est contrôler les autres comme s'ils lui appartenaient.

Tirant une carte de visite de sa poche pour la leur remettre, Mac assura :

— Nous reprendrons contact dès que nous aurons du nouveau. D'ici là, s'il vous revient quelque chose susceptible de nous permettre de le localiser, un endroit où il aurait pu trouver refuge, par exemple, vous pouvez nous joindre à l'un ou l'autre de ces numéros.

Melissa le suivit vers le seuil, persuadée de leur échec définitif.

Mais alors que le majordome, posté près du portail, s'apprêtait à leur ouvrir, James Wagner, qui les escortait, éleva la voix. En l'entendant, ils se figèrent sur place.

— Une minute ! Je viens d'avoir une idée.

10.

— Eh bien ! C'était une entrevue révélatrice ! Et à plus d'un titre, commenta Mac en regardant Melissa, attablée face à lui. On a trouvé le bon filon !

— Tu crois ?

— Une maison de vacances à l'écart, inoccupée depuis des années, et dont Thayer possède la clé ? Je pense bien que c'est le bon filon ! On peut fêter ça au champagne ! A moins que tu ne préfères autre chose ?

— Non, je veux bien encore une coupe.

— Où est le problème, alors ? Cet endroit ne te plaît pas ?

Bien au contraire ! pensa Melissa. Il avait choisi un club-restaurant cinq étoiles, au bord de l'eau, avec une carte alléchante et un service aussi efficace que discret. Un bouquet de roses ornait leur table, éclairée aux chandelles. Et elle était avec l'homme dont elle devenait de plus en plus amoureuse... Tout était réuni pour faire une soirée romantique à souhait. Seulement voilà, il y avait bien des choses qui la tracassaient...

— Ecoute, Melissa, jouons cartes sur table. Pourquoi fais-tu cette tête ?

— Parce que j'hésite entre le faisan et le soufflé au crabe.

— Et puis ? fit Mac, inclinant son beau visage d'un air interrogateur. Il y a autre chose qui te tourmente. En tant qu'époux d'un jour, je demande à savoir quoi.

— Soit. Pour commencer, j'aimerais que tu m'expliques pourquoi tu as joué jusqu'au bout la comédie des jeunes mariés avec les Wagner, qui sont des gens charmants, et visiblement effondrés d'apprendre ce que Kirk a fait.

— Parce que nous étions convenus qu'il ne fallait pas adopter avec eux une approche frontale.

— Je sais. Mais je regrette que tu ne m'aies pas permis de leur dire la vérité puisqu'ils étaient de notre côté. Au lieu de m'entraîner vers la voiture en hâtant les adieux !

— Cette comédie était nécessaire, et plutôt anodine.

— Je n'ai jamais aimé la dissimulation, anodine ou non. Je préfère être franche dans mes relations avec les autres.

Mac l'examina un instant d'un air pensif. Puis il reprit :

— Ils ont eu assez de désillusions comme ça, tu ne crois pas ? Ils ne sont plus tout jeunes, et ils ne semblent pas particulièrement costauds. Tu as bien vu que Sadie a craqué quand elle a appris le crime de son fils. Quant à James, il a beau tempêter et ronchonner, il n'a pas l'air plus solide qu'un roseau. Il n'y avait pas lieu de les blesser davantage.

— J'ai pensé que tu te défiais d'eux.

Pour une fois, le regard de Mac fut moins direct qu'à l'ordinaire.

— Disons que je préfère rester prudent. Même si je crois que les Wagner jouent franc-jeu. De toute évidence, James en a marre de Thayer.

— Et Sadie ?

L'expression de Mac se modifia.

— C'est une grenade prête à exploser. Elle pourrait nous causer des ennuis sans le vouloir.

— Qu'est-ce qui te fait penser ça ?

— C'est une mère. Elle a passé des années à dorloter et protéger son fils unique, qu'elle adore malgré tout ce qu'il a pu faire. Ce serait une erreur de croire qu'elle va l'abandonner au moment où il encourt de graves sanctions. C'est une raison de plus, au contraire, pour reconduire notre petite supercherie. Il n'est jamais bon d'abaisser sa garde. Il sera toujours temps de passer aux aveux une fois qu'Angela sera de nouveau auprès de sa mère.

— J'espère que tu as raison.

— Sans aucun doute ! s'écria gaiement Mac. Alors, un sourire, madame Sullivan ! Nous avons bien mérité de passer une bonne soirée.

Celle-ci s'achèverait-elle à la fin du repas ? se demanda Melissa tout en examinant son compagnon à la dérobée, tandis qu'il discutait avec le sommelier. Ou bien avait-il envie de renouveler leurs ébats de la veille ?

Soudain, il la surprit à l'observer, et lui adressa un clin d'œil expressif. Elle s'empourpra, honteuse de trahir son désir, et piqua aussitôt du nez vers son menu.

Jamais elle ne se serait attendue, la veille, à le voir revenir sur son seuil. Et maintenant, elle était là, face à lui qui avait le pouvoir de la faire défaillir d'un seul regard… Ses yeux couleur d'orage avaient parfois le tranchant d'un rayon laser ; mais ils pouvaient aussi exprimer une douceur torride devant une femme nue vibrant de désir…

— Cela te convient, Melissa ?

— Euh, pardon. Qu'est-ce qui me convient ?

— Le soufflé au crabe en entrée, et le faisan comme plat principal.

— Oh ! Oui, oui, tout à fait.

Dès que le serveur se fut éclipsé, Mac commenta :

— Encore dans la lune, hein ? Qu'est-ce qui te turlupine, cette fois ?

S'efforçant d'être désinvolte, elle lâcha :

— Rien. Je pensais à la nuit dernière, c'est tout.

— Mémorable, n'est-ce pas ?

— Très surprenante, admit-elle.

Elle poursuivit avec hésitation, en choisissant ses mots avec soin :

— Je ne pensais pas que tu t'intéressais à moi… de cette façon-là.

« Pour une nuit seulement ? avait-elle envie de lui demander. Ou bien de façon plus durable ? »

— Je m'y intéressais depuis un bon moment, mais la déontologie m'ordonnait de te résister… C'est la première fois que je suis confronté à pareille expérience… Et comme tu as pu le constater, j'ai fini par craquer.

Une expérience ? se répéta-t-elle, déçue. Quel mot misérable, pour parler de ce qui lui était arrivé de plus merveilleux dans toute sa vie !

— J'espère que tu ne m'en veux pas ? s'enquit-il, incertain.

— Comment pourrais-je t'en vouloir de m'avoir donné du plaisir ?

— Merci, lui dit-il. J'aime penser que j'ai assez d'affinités sensuelles avec une femme pour combler ses attentes.

« Une » femme ? releva-t-elle, si vexée qu'elle eut envie de crier : Et si tu me parlais plutôt de celle qui est en face de toi ? Celle qui s'est ruinée pour acheter la robe et le parfum qu'elle porte, et se donne un mal de chien pour paraître exceptionnelle à tes yeux ? Que penserais-tu, hein, si je parlais de toi comme « d'un » homme parmi tant d'autres ?

— Bien sûr, je n'ai pas vraiment d'éléments de comparaison, lança-t-elle d'un ton léger, mais je dirais que tu as été…

— Oui ? fit-il avec un sourire.

— Satisfaisant.

« Encaisse ça si tu peux ! » pensa-t-elle avec humeur.

Mac serra les mâchoires comme pour contenir un éclat de rire.

— Alors, pourquoi as-tu l'air d'un chat privé de son bol de crème, quand tu en parles ?

— Je ne suis pas du tout frustrée, je m'amuse beaucoup !

— Vraiment ? On pourrait croire tout le contraire.

— Sans doute parce que je réfléchis à des choses plus importantes que tes prouesses sexuelles.

Mac se donna une claque sur la joue, en commentant :

— Et vlan ! Prends ça, Sullivan ! Espèce de prétentieux arrogant ! Cette dame n'a pas d'idées au-dessous de la ceinture, elle. Elle réfléchit à des « choses importantes » !

Et comme Melissa le foudroyait du regard, il ajouta, hilare :

— Attention, tu pourrais passer pour une hystérique si tu exploses en public.

Elle aurait voulu pouvoir dominer son manque d'assurance, et lui répliquer sur le même ton. Rire avec lui et jouer à la petite guerre des sexes d'un cœur léger. Mais au lieu de cela, à sa grande consternation, elle sentit des larmes lui picoter les yeux.

Alors, avec effort, elle répliqua :

— Tu ne pourrais pas être un peu sérieux, et me dire franchement si ce que les Wagner nous ont appris sera utile ?

— Hé, la belle, je te taquinais, c'est tout, dit-il en lui saisissant la main et en effleurant l'anneau de mariage factice.

— Réponds à ma question, c'est tout.

— La piste vaut vraiment la peine d'être explorée.

— Alors, que va-t-on faire, maintenant ?

— Une petite visite à Catalina Island.

Il lui lâcha la main, se cala sur son siège et continua :

— Il y a de fortes chances pour qu'il soit réfugié là-bas. La maison est dans un domaine privé, enfouie sur les collines qui dominent Avalon Bay. C'est une planque parfaite.

— D'après la description des Wagner, ce doit être un endroit magnifique. Je me demande pourquoi ils n'y vont plus.

— A ce que j'ai compris, il n'y a pas de voitures, sur l'île. Pour se déplacer, les gens vont à pied ou à bicyclette. Et à mon avis, James n'a plus le cœur assez jeune pour ce genre d'exercice. Nous avons échangé un mot pendant que tu disais au revoir à Sadie : il m'a avoué qu'il préférerait vendre cette maison. Mais sa femme y est attachée pour des raisons sentimentales. Résultat, il n'y a là-bas qu'un ou deux domestiques pour entretenir les lieux.

— Alors, Kirk doit se sentir relativement en sécurité.

— Certes. Personne ne lui contestera le droit d'occuper les lieux. Il est à l'écart des plus proches voisins, ce qui lui confère l'intimité qu'il cherche. En plus, vingt milles marins le séparent du continent. Cela accroît ses chances de ne pas être découvert.

— Je suis pratiquement sûre qu'il se cache là-bas.

— Et moi, je propose un toast, enchaîna Mac, levant sa coupe de champagne. A mon épouse d'un jour ! Tu t'es comportée comme une vraie pro, aujourd'hui, la belle.

— A mon mari d'un jour ! lança-t-elle en l'imitant.

— On fait une sacrée équipe, dit-il.

Et, ce disant, il la dévisagea d'un air si suggestif qu'elle se sentit fondre de désir.

Heureusement, le serveur se présenta fort à propos avec les soufflés au crabe pour l'empêcher de dire des folies.

— Eh bien ? demanda Mac une fois qu'elle eut goûté au mets. C'est à la hauteur de tes exigences ?

— C'est délicieux. Ce restaurant est excellent.

— Il fait partie de mes favoris.

Soudain mal à l'aise, elle rétorqua avec une nonchalance affectée :

— Ce n'est pas ta première visite à San Francisco, si j'ai bien compris.

Il haussa négligemment les épaules.

— J'y suis déjà venu plusieurs fois. J'ai des amis, ici. Tu veux danser, la belle ?

Melissa avait espéré qu'il donnerait des précisions sur les « amis » en question, voire les « amies »... Mais comme la perspective de danser avec lui était infiniment plus excitante, elle le suivit vers l'autre bout de la salle, où plusieurs couples évoluaient au son de « J'ai laissé mon cœur à San Francisco », dont un quatuor musical donnait une interprétation langoureuse.

— A l'eau de rose, mais sympa, commenta Mac en l'attirant contre lui.

— Moi, ou la chanson ?

— J'aurais des adjectifs un peu mieux que ça pour te décrire, fit-il en riant.

— Lesquels ?

— Jolie, désirable, futée.

Elle se laissa aller en fermant les yeux pour mieux savourer ce compliment. Ils ondoyaient à l'unisson, dans une harmonie parfaite, et elle aimait qu'il la tienne serrée contre lui comme si elle était sienne. Elle aimait l'odeur de son eau de toilette, la tiédeur ferme de ses doigts mêlés aux siens...

Oh, seigneur ! se dit-elle, pourquoi ne pas l'admettre ? Elle aimait tout, en lui ! Certes, d'aucuns l'auraient sans doute jugée folle, mais elle avait su, à la seconde où elle avait posé les yeux sur cet homme, qu'il était différent de tous ceux qu'elle avait rencontrés, et qu'il marquerait son existence d'une empreinte ineffaçable.

— Mac, est-ce que tu crois au destin ? murmura-t-elle.

Elle avait à peine achevé sa question que l'orchestre attaqua un autre air, intitulé « Santa Catalina ».

— Bon sang, commenta Mac, maintenant oui ! Tu entends ça ?

— C'est un bon présage, dit-elle, se hasardant à l'enlacer par le cou. Je sens que nous allons retrouver Angela et la ramener à la maison.

— Et comment ! approuva-t-il. Mais d'abord, nous allons savourer nos faisans. Le serveur vient de les apporter.

Et, interrompant brusquement leur danse, il la prit par la taille pour l'entraîner vers leur table. Dans son intonation, dans son geste caressant, dans le regard intime qu'il posa sur elle une fois qu'elle fut assise, elle perçut une sorte de promesse informulée. Un courant électrique passait entre eux, issu de la tension et du désir sensuels, mais aussi d'un lien plus mystérieux…

Mac l'avait-il senti, lui aussi ? se demanda-t-elle.

Elle luttait contre l'envie de lui poser la question, lorsque, soudain, une voix retentit non loin d'eux : une voix inconnue, légère et charmeuse, très féminine.

— Mac, mon cœur ! j'espérais bien te trouver ici.

Il leva les yeux et, à la vue de la femme qui, tel un papillon exotique, venait butiner près de leur table, il eut un sourire d'une si grande tendresse que Melissa en eut le cœur saisi.

— Hé, ma douce ! murmura-t-il en se levant d'un bond pour envelopper la nouvelle venue dans un embrassement affectueux.

— Penny m'a appris que tu étais passé au magasin, dit-elle en lui donnant un baiser. Pourquoi ne m'as-tu pas prévenue que tu étais en ville ?

— C'était une décision au pied levé, expliqua-t-il en la tenant à quelque distance pour l'observer avec admiration. Tu es superbe, comme toujours.

Elle laissa couler un petit rire ravi — une vraie musique.

— Tu n'es pas mal non plus, inspecteur !

— Grand merci, m'dame !

Et lui enlaçant la taille de son bras, il continua à la contempler, oubliant tout ce qui l'environnait.

Mais la nouvelle venue eut le tact de s'écarter de lui pour saluer Melissa qui s'était raidie de contrariété.

— Bonsoir ! Je m'appelle Andrea, et vous devez me trouver très impolie d'interrompre ainsi votre dîner.

— Oh, c'est vrai, vous ne vous connaissez pas ! s'écria Mac. Voici... ma cliente, Melissa Carr.

Sa cliente ! se répéta Melissa, outrée à la pensée qu'il faisait table rase de leurs ébats passionnés de la veille.

— Ah, la fausse Mme Sullivan ! s'exclama Andrea sans une once de malice. La bague vous va, au fait ?

— Oui, merci.

— Elle a bien rempli son office ? On vous a prise sans problème pour la femme de Mac ?

— Apparemment, oui, répondit Melissa en s'efforçant d'imiter l'attitude joyeuse et enjouée d'Andrea. L'arrangement est temporaire, heureusement.

Andrea renversa son visage encadré de superbes cheveux auburn, et laissa couler un nouveau rire musical et communicatif.

— N'est-ce pas ! Mais s'il n'est pas un mari idéal, c'est en tout cas le meilleur enquêteur qu'on puisse trouver.

Elle effleura la main de Melissa avec sympathie, et assura :

— Il va tout arranger, vous verrez.

— Je l'espère.

— Moi aussi, Melissa.

Se tournant vers Mac, Andrea continua :

— Désolée de t'avoir manqué, ce matin. J'aurais adoré déjeuner avec toi. Tu es libre, demain ?

— Non, malheureusement, déclina-t-il, un sourire chaleureux aux lèvres. On sera sûrement en route vers le sud, à ce moment-là.

Une moue de déception plissa le ravissant visage d'Andrea.

— On se voit au petit déjeuner, alors ? Chez moi ? On peut faire ça tôt, je préparerai ton péché mignon, proposa-t-elle, ostensiblement charmeuse.

— Avec des fraises ?

— Oui, enfant gâté ! acquiesça-t-elle, rieuse. Et avec de la crème.

Puis elle ajouta à l'adresse de Melissa :

— Vous pouvez vous joindre à nous, bien entendu.

Pour les regarder roucouler ? Et se toucher comme maintenant ? Merci bien ! se dit Melissa avant de refuser poliment.

Tandis qu'Andrea s'éloignait, sa robe noire et chic ondoyant autour d'elle, Mac se rassit en commentant :

— Tu aurais pu te montrer un peu plus aimable.

— J'ai été très polie.

— Tu as été très coincée !

— Je m'étonne que tu l'aies remarqué. Tu n'avais d'yeux que pour ta petite amie.

— Ce n'est pas ma petite amie.

— Oh, je t'en prie ! Tu préfères que je dise ta maîtresse ?

— Non. Mon ex-femme.

Bon sang, elle aurait dû le deviner ! se dit-elle, aux quatre cents coups. Tout dans leur gestuelle avait exprimé une familiarité intime, quelque chose qui relevait de la possession.

Melissa, qui avait redouté d'avoir à payer pour sa nuit de plaisir, voyait que la note lui était tendue : la présence de cette belle femme, gracieuse, compatissante, dans la vie de Mac la blessait comme un coup de poignard.

« Certains hommes ne peuvent jamais se contenter d'une seule femme... » avait dit Mac, et ces paroles à présent venaient la torturer avec une précision mortelle.

Mais cela impliquait aussi que d'autres hommes pouvaient s'en contenter, s'objecta-t-elle pour se remonter le moral.

« Seule la mort s'oppose à ce qu'une relation se renoue », lui avait-il dit également, et, sur le coup, elle ne l'avait pas cru. Mais elle venait de voir que l'on pouvait renouer... et de quelle manière !

Seigneur ! se désola-t-elle, dire qu'elle avait failli lui demander s'il l'aimait, après seulement quelques jours de fréquentation ! Car le temps était une chose toute relative, lorsqu'il s'agissait d'amour. Et, de toute évidence, il était toujours épris de son ex-femme. Autant en déduire qu'elle-même ne comptait pas pour lui. Leur flirt, leurs accès de tendresse, leur nuit d'ébats.... cela ne signifiait rien !

— Pourquoi cet air horrifié ? lui demanda-t-il avec froideur. Je ne t'ai pas caché que j'étais divorcé.

— Et après vous avoir vus ensemble, je me demande pourquoi vous avez mis fin à votre union.

— Les anciens conjoints ne vivent pas forcément à couteaux tirés. Il n'en va pas ainsi entre ton père et ta mère, que tu veuilles l'admettre ou non. Et il n'en va pas ainsi entre Andrea et moi. Tout est rarement tout blanc ou tout noir, ma chère, dans les relations humaines.

— Cesse de me traiter en bébé ! J'admets que certains couples divorcés restent amis.

— Allons donc, ça te rend furieuse. Pourquoi ? Serais-tu jalouse, par hasard ?

Jalouse d'une superbe femme qu'il contemplait avec ravissement et qui l'invitait à prendre le petit déjeuner chez elle ? se demanda-t-elle, amère, avant de répliquer :

— Sûrement pas !

— Tant mieux, fit Mac d'une voix mielleuse. Si c'était le cas, tu outrepasserais tes droits. Le fait que tu me paies pour retrouver ta nièce ne signifie pas que je t'appartiens.

— Je ne te paie pas non plus pour poursuivre ton ex-femme à travers San Francisco.

— Elle dessine des bijoux. Il te fallait une bague. Où voulais-tu que j'aille, pour l'emprunter ?

Melissa se demanda ce qu'il lui arrivait. Elle ne se reconnaissait plus. Elle qui avait toujours su faire preuve de bon sens, et ne se laissait pas stupidement dominer par ses émotions, que lui prenait-il de réagir ainsi avec un homme qu'elle connaissait à peine, et qui, on l'en avait avertie, était d'une indépendance forcenée ?

C'était à cause du champagne, bien sûr, et du cadre enchanteur ! se dit-elle. Elle avait perdu la tête, comme la plus ordinaire des femmes, et s'était laissée aller à des désirs de romance… Elle s'en rendait compte à présent. Mais cela n'en était pas moins douloureux.

— C'est une jolie création, dit-elle en ôtant la bague. Et si j'avais su, je l'en aurais félicitée. Peut-être peux-tu le faire de ma part quand tu la verras demain.

— Garde ça, dit-il avec irritation. Elle n'en a pas besoin.

— Moi non plus, à présent.

— Ecoute, Melissa, finis ton plat et cesse de créer des histoires !

Avant qu'elle puisse répondre, une autre femme, escortée d'un cavalier, s'arrêta à leur table et salua Mac.

— Bonsoir ! Andrea nous a dit que tu étais là. Tu connais Dave, n'est-ce pas ?

— Bien sûr. Bonsoir, Dave, répondit Mac en se levant pour serrer la main du nouveau venu. Melissa, je te présente Penny Worth, l'associée d'Andrea, et son fiancé, Dave Lewis.

Melissa salua Penny et Dave, en s'en voulant de ne pas paraître plus à l'aise. Mac lui précisa :

— C'est Penny qui a choisi ta bague.

— Dans ce cas, merci, fit Melissa avec un sourire tendu. Elle est ravissante.

— N'est-ce pas ? Ce n'était qu'un prototype, mais comme le client nous l'a laissé, c'est pour vous.

— Pas du tout, intervint Mac, caustique. Elle veut la rendre.

— Mais non, voyons ! Gardez-la comme souvenir, ou comme porte-bonheur. Mac m'a parlé de la tragédie de votre famille.

— Vraiment ? fit Melissa en décochant un regard noir à son compagnon.

— C'est sûrement très dur pour vous.

— En effet.

— Mais heureusement, Mac est là. C'est un sacré atout dans votre manche, vous savez.

Mal à l'aise, Melissa acquiesça d'un sourire contraint.

Dave ajouta d'un ton empli de sympathie :

— Nous sommes de tout cœur avec vous. En fait, nous venions vous inviter à nous rejoindre pour le dessert. Nous sommes sur la mezzanine, avec Andrea et une ou deux autres personnes. Vous serez avec des amis.

— C'est tentant, dit Mac. On monte dans un petit quart d'heure.

Pendant que Dave et Penny s'éloignaient, Melissa médita avec ressentiment cette acceptation spontanée. Il semblait avoir hâte d'interrompre leur tête-à-tête !

— Je n'apprécie pas qu'on accepte une invitation sans me demander mon avis, dit-elle dès qu'ils furent seuls.

— Ah ? Désolé, cela n'arrivera plus. Il te reste encore quelque chose sur le cœur ? Autant vider ton sac, pendant que tu y es.

— Je n'aime pas non plus que tu te répandes sur ma vie privée auprès de tout le monde dans cette ville.

— Arrête d'exagérer. Je n'en ai parlé qu'à Penny, et de façon plutôt vague. Le fait qu'elle ait mis Andrea et son fiancé au courant ne fera tout de même pas la une des journaux !

— Tu n'avais pas le droit d'en parler. Si tu étais encore dans la police, je pourrais te faire suspendre.

— Mais je n'y suis plus, la belle. Et au cas où tu l'aurais oublié, ce n'est pas moi qui t'ai suppliée de m'occuper de l'affaire. Alors, cesse de jouer les patronnes, ça ne prend pas avec moi.

— Je t'ai engagé. Et je te renvoie.

— Ne fais pas l'imbécile. Nous sommes à deux doigts de prendre Thayer.

— Je n'ai plus besoin de toi. Tu n'as qu'à m'envoyer ta note. Et cesse de m'appeler « la belle ».

— Melissa ne te plaît pas non plus. Alors, comment faut-il t'appeler ? Mademoiselle ? Mademoiselle Carr ? Ça ménage mieux ta susceptibilité ?

— Tu es l'homme le plus exaspérant que j'aie jamais rencontré !

Mac émit un long soupir.

— Ecoute, dit-il, arrêtons avant d'aller trop loin. As-tu fini de dîner ?

— Oui.

— Aimerais-tu rejoindre Penny et les autres ?

— Non. Je suis très lasse. Mais ça ne doit pas t'empêcher de faire la fête. Je rentrerai à l'hôtel en taxi.

— Je te ramène.

— C'est inutile.

— Tu n'es pas raisonnable.

Elle était déraisonnable, en effet, admit-elle en son for intérieur, infantile et ridicule, et qui plus est, elle en avait conscience. Mais c'était plus fort qu'elle, elle ne pouvait pas s'en empêcher !

— Tu me traites en ennemi, la belle.

— Excuse-moi auprès de tes amis, s'obstina-t-elle, et remercie-les d'avoir eu la bonté de m'inviter.

Il lâcha un second soupir, tambourina des doigts sur la table, puis finit par capituler.

— Très bien, à ta guise. Nous discuterons demain matin. Bonne nuit.

— Et je te prie de ne rien leur dire de plus à mon propos.

— Je suis certain de trouver d'autres sujets de divertissement.

— En te vantant de m'avoir initiée aux joies du sexe, je suppose ! riposta-t-elle, sarcastique.

— C'est pour ça que tu te montres si désagréable ? Parce que tu t'es abaissée à coucher avec un vulgaire employé ? fit Mac, hochant la tête d'un air dépassé. Oh ! bon sang, Melissa, je me respecte trop pour aller me vanter de mes conquêtes au lit. Dommage que tu n'aies pas autant d'estime pour toi-même.

11.

Le soleil matinal éclairait le visage serein d'Andrea, occupée à verser le café. Mac fut une fois de plus frappé par le changement qui s'était opéré en elle. Elle était différente de celle qu'il avait épousée ; les aspérités de son caractère s'étaient émoussées, et elle rayonnait.

Il décida de la taquiner un peu.

— Alors, tu vas épouser le type avec qui tu étais hier soir ?

Mais, espiègle, elle lui renvoya la question :

— Et cette femme avec qui tu étais, hier, tu vas l'épouser ?

— Quelle idée ! s'écria-t-il en piochant, du bout du doigt, dans la garniture de crème de sa gaufre aux fraises. Les trois quarts du temps, elle m'asticote, à tel point que j'ai envie de lui donner une bonne fessée.

— Bref, elle te met sur les nerfs.

— Je n'ai pas dit ça.

— Inutile, mon cher. Ton malaise est palpable chaque fois que son nom surgit dans la conversation. Tu en pinces pour elle, en fait. Drôlement.

— C'est une cliente, nom d'un chien !

— Oh, elle est beaucoup plus que ça. Tu couches avec elle, et tu t'en veux.

— Mange ta gaufre et arrête de faire de la psychanalyse sauvage, protesta-t-il.

— J'ai vécu avec toi pendant quatre ans, je te connais. Quand tu crains de t'être engagé plus que tu ne l'aurais voulu, je m'en rends compte.

— Tu te laisses emporter par ton imagination, bébé !

— J'ai mis en plein dans le mille, oui ! Melissa Carr te flanque une trouille de tous les diables. Tu as peur qu'elle ne prenne une place permanente dans ton sacro-saint territoire.

— Je crains qu'elle n'attache trop de poids à notre relation. Comme tu le fais.

— Mais ce qui t'ennuie encore plus, ce sont tes propres sentiments à son égard. Cette femme-là te donne des insomnies, poursuivit Andrea sans désemparer. Ou tu t'es fait des cernes sous les yeux par pure coquetterie ?

Elle l'exaspéra tellement avec sa perspicacité qu'il eut un mouvement de recul comme elle se penchait pour lui effleurer le haut des pommettes.

— Continue comme ça, et je me croirai revenu au temps où ça me rendait fou de t'avoir épousée ! maugréa-t-il.

— Allons donc, tu es ravi que j'aie mis les pieds dans le plat ! répliqua Andrea, rieuse.

Elle semblait si heureuse que Mac ne put réprimer un soupçon d'envie.

— Tu as de la chance, lui dit-il.

— Oui, j'ai trouvé mon âme sœur, et ça change tout.

— J'en suis très heureux pour toi.

— Je sais.

Elle mordit dans sa gaufre, et orienta la conversation sur un autre sujet, entamant avec lui un échange agréable, tel que peuvent en avoir deux êtres qui ont surmonté les affres d'un divorce et ont su rester amis.

— C'était diablement bon ! s'exclama-t-il après sa troisième gaufre. Tom aura intérêt à surveiller sa ligne, avec toi. Bon, il n'est pas loin de 10 heures, il faut que j'y aille. Nous prenons l'avion pour Los Angeles à 14 heures, et j'ai encore ma valise à faire.

— Je te raccompagne jusqu'à ta voiture, dit Andrea.

Et, en descendant avec lui dans l'ascenseur, elle confia :

— Je t'ai vu danser avec Melissa, hier. Tu avais une expression que je ne t'ai jamais vue. Comme si tu venais de recevoir un cadeau que tu n'aurais jamais osé espérer. Et ça me ferait vraiment de la peine que tu le repousses par aveuglement ou par entêtement absurde.

— Je ne connais Melissa que depuis une semaine, Andrea !

— Mais tu as déjà couché avec elle, ce…

— Comment le sais-tu ?

Mais Andrea passa outre la question et reprit :

— Tu as fait l'amour avec elle, et tu refuses de l'avouer. Ce qui me révèle qu'il ne s'agit pas d'une de tes passades habituelles. Quand je pense que nous sommes sortis ensemble pendant trois mois, avant de partager le même lit…

— Parce que ta mère s'obstinait à nous servir de chaperon !

— Arrête de tourner les choses en dérision. Tu avais juré de ne plus jamais mener d'enquête sur un enfant disparu et te voilà impliqué jusqu'au cou dans une affaire comparable. Tout ça parce qu'elle te l'a demandé. Pourquoi as-tu cédé, hein ?

— Parce que ça pouvait soulager ma conscience de réussir là où d'autres avaient échoué, bon sang ! Et m'aider à oublier le passé une bonne fois pour toutes !

— Et si c'était parce que tu n'as pas pu dire non à Melissa ?

Il sortit de l'ascenseur sans répondre, parce qu'il ne voulait pas admettre la vérité en ces termes.

Mais Andrea eut tôt fait de le rejoindre et continua sur sa lancée :

— Il n'est jamais trop tôt pour tomber amoureux. Ces choses-là, ça peut se produire du soir au lendemain. En fait, je pense que c'est ce qui t'est arrivé. Sinon, pourquoi serais-tu si nerveux en ce qui la concerne ?

— Je ne suis pas du genre à avoir un coup de foudre.

— Comment le sais-tu ?

Il n'en savait rien, là était le problème. Et il ne voulait pas être fixé.

— N'en rejette pas la possibilité, au moins. Accorde-toi le bénéfice du doute.

— D'accord, j'y réfléchirai ! concéda-t-il en bougonnant.

— Alors, tiens-moi au courant ! dit Andrea.

Elle ramena doucement en arrière la mèche de cheveux qui, une fois encore, avait glissé sur le front de Mac, en ajoutant :

— Et va chez le coiffeur ! Bon ! il faut que je te quitte… Mon meilleur souvenir à Melissa, et prenez bien soin l'un de l'autre !

Un instant plus tard, Mac démarrait en grommelant contre Andrea.

Son ex-femme était vraiment une peste, quand elle s'y mettait ! songea-t-il. Toujours à vouloir le régenter… et beaucoup trop perspicace en ce qui le concernait. Mais cette fois, elle se trompait dans les grandes largeurs. Il n'avait nul besoin, dans sa vie, d'une caractérielle telle que Melissa Carr !

« Je t'ai engagé et je te renvoie… » se répéta-t-il en songeant aux intonations méprisantes de Melissa. Non, mais pour qui se prenait-elle ? Décidément, il avait hâte que cette affaire soit bouclée, et qu'il soit débarrassé d'elle !

A l'hôtel, il ne la trouva pas dans sa chambre. Il lui avait glissé un mot sous la porte, indiquant les étapes de leur voyage, mais elle n'avait pas daigné lui en laisser un pour expliquer son absence.

Sans doute faisait-elle du shopping de dernière minute, et avait-elle laissé passer l'heure, songea-t-il en faisant sa valise.

Mais au bout d'une heure, son vieil instinct de flic lui souffla que quelque chose ne tournait pas rond.

Il prit sa valise, gagna la porte de la chambre de Melissa et l'ouvrit toute grande : la vue du lit défait, du chariot plein de draps propres, lui révéla qu'elle avait délaissé les lieux.

Il explora les communs de l'hôtel, ne la trouva nulle part. Alors, il se rendit pour la énième fois à la réception, afin de demander si elle avait laissé un message.

Le réceptionniste, différent de celui auquel il s'était adressé précédemment, parut surpris par la question.

— Mlle Carr est partie ce matin, aux environs de 8 h 30, monsieur Sullivan.

Mac le dévisagea d'un air interdit.

— Il doit y avoir une erreur.

— Non, monsieur. Je l'ai fait conduire en taxi à l'aéroport. Elle a pris l'avion de 10 heures pour Los Angeles. Mais on vient juste de recevoir un message pour vous, dit l'homme en se tournant pour prendre un billet dans un casier. Cela expliquera peut-être les choses.

Le mot n'était pas de Melissa mais de James Wagner. Dès que Mac en prit connaissance, il sut qu'il avait eu raison de se défier de Sadie. La situation se compliquait, et Melissa s'était précipitée sur les ennuis.

— Il faut que je loue immédiatement un hélicoptère, dit-il au réceptionniste. Qui dois-je appeler ?

Haletante après son ascension de la colline, Melissa repéra enfin la maison dont les trois étages, enfouis au bout d'un chemin pentu, s'accrochaient à la lisière d'un canyon.

Une profusion de bougainvillées se répandaient sur les murs de stuc blanc. Sous la véranda, dont les baies ouvertes laissaient entrer l'air venu de la mer, il y avait des meubles en rotin identiques à ceux des Wagner à San Francisco.

Et parmi ces meubles, se trouvait un landau d'enfant !

Dès qu'elle le vit, Melissa sut qu'elle était sur la bonne piste.

Cachée derrière un palmier proche de la grille latérale, elle attendit.

Bientôt, une femme de type mexicain sortit de la maison, alla se pencher sur le landau et, tout en chantonnant, se mit à le bercer. Quelques minutes plus tard, un homme apparut à l'angle de la véranda.

Des bribes de conversation parvinrent jusqu'à Melissa, portées par la brise : des mots tels que « couche » et « crème » qui ne révélaient rien. En revanche, les mots « señor Thayer » et la déférence de la nounou à l'égard de son interlocuteur ne laissaient guère de doute sur l'identité de l'homme.

Un frisson d'excitation parcourut Melissa. Pari gagné ! Elle avait retrouvé sa nièce sans l'aide de Mac Sullivan ! Et si cela ne pansait pas la blessure de son cœur, cela lui permettait au moins de recouvrer l'estime d'elle-même. Elle n'avait jamais eu besoin d'un homme pour se débrouiller, dans la vie !

Elle avait commis la grossière erreur de croire qu'il lui fallait Mac Sullivan. Mais quand il arriverait — si toutefois il n'était pas trop occupé à badiner avec son ex ! —, elle serait déjà en route pour Vancouver avec sa nièce.

Toute la question était de savoir comment y parvenir. Depuis qu'elle s'était esquivée de l'hôtel, ce matin-là, elle n'avait songé qu'à gagner cette île et à repérer la maison des Wagner. A présent, elle ne savait pas quelle démarche adopter.

Gagner le seuil et demander à entrer, il n'en était pas question. Elle ne serait jamais la bienvenue en ces lieux. Quant à la grille qui se dressait devant elle, elle était verrouillée ; les murs d'enceinte étaient trop hauts pour être escaladés. D'ailleurs, elle n'aurait jamais pu, en sens inverse, les franchir avec un bébé dans les bras…

Kirk Thayer sortit de la maison principale, traversa le patio pour entrer dans une petite construction au bas du jardin, proche d'une deuxième grille. Un instant plus tard, il parut sur la route dans un cart de golf, descendant la colline vers l'agglomération en contrebas.

Dès qu'il eut disparu, Melissa se rua vers l'autre grille, qu'à sa grande joie, elle trouva ouverte. N'y réfléchissant pas à deux fois, elle se faufila dans le jardin et se dissimula à l'abri des murs du petit bâtiment.

Le cœur battant, les paumes moites, elle riva son regard sur le berceau de l'enfant qui n'était plus qu'à vingt pas. Il ne lui aurait fallu que quelques secondes pour le rejoindre et prendre Angela.

Malheureusement, la nounou reparut à l'instant même où elle allait s'exécuter, saisit l'enfant dans ses bras et rentra à l'intérieur.

« Que faire, maintenant ? » se demanda Melissa, catastrophée, avant de regretter que Mac ne fût pas là.

Captant un mouvement devant une fenêtre ouverte à l'étage, elle vit la nounou gagner une table à langer, changer le bébé, puis le prendre dans ses bras et venir se poster devant la baie.

Tandis que la nounou s'abîmait dans la contemplation du paysage tout en chantant une berceuse en espagnol, Melissa prit son mal en patience.

Finalement, la nounou alla coucher l'enfant dans un petit lit, vint régler les stores à la vénitienne pour atténuer la lumière du soleil, et disparut.

Kirk Thayer n'allait pas tarder à reparaître, se dit Melissa. L'occasion qui se présentait était peut-être bien la meilleure possible : le bébé était seul, et la nounou sans doute occupée dans la maison…

Regardant autour d'elle pour n'y trouver qu'un calme inaltéré, elle murmura :

— C'est maintenant ou jamais.

Elle s'élança au pas de course et se réfugia un bref instant en contrebas de la plateforme de la véranda, juste en dessous de la nursery. Puis elle se précipita, par les baies ouvertes, dans la pièce la plus proche. Petite et agréable, elle était meublée pour accueillir une personne, et c'était de toute évidence le « logement » de la nounou.

Melissa la traversa, ouvrit la porte et se retrouva dans un long couloir. Non loin, elle percevait le bourdonnement d'un sèche-linge. Elle entendit des pas, de l'eau qui coulait : des bruits de tous les jours qui masqueraient l'écho éventuel de ses propres pas. Sur la pointe des pieds, elle se faufila jusqu'à une porte entrouverte et regarda.

La nounou, environnée de piles de linge, était occupée à repasser en chantonnant à voix basse. Une cafetière et une tasse fumante, posées non loin d'elle sur une table basse, indiquaient qu'elle en avait pour un bon moment.

Réalisant que les circonstances étaient on ne peut plus favorables, Melissa gagna l'étage aussi vite et aussi silencieusement qu'elle put. Une autre volée de marches la conduisit enfin à la nursery.

Elle poussa la porte et s'approcha du petit lit. Couché sur le dos, un bébé contemplait le mobile coloré qui dansait au-dessus de sa tête. Il avait des yeux bleus, de petites touffes de cheveux blonds et fins, une peau couleur de pétale de rose…

Melissa éprouva à sa vue une joie presque douloureuse. C'était bien le bébé de June ! La ressemblance était saisissante, indiscutable !

Elle faillit s'en saisir aussitôt et s'enfuir à toutes jambes. Mais elle dompta son élan. Elle devait agir avec bon sens. Et tout d'abord, réunir de quoi s'occuper de la petite, car elle était venue les mains vides. Rapidement, elle prit des couches, des vêtements, une couverture, et glissa le tout dans un sac qu'elle trouva. Puis elle le balança sur son épaule et se rapprocha une deuxième fois du lit.

— Viens, mon poussin, murmura-t-elle en se penchant vers l'enfant. Viens dans mes bras. Je te ramène à ta maman.

Elle l'avait presque saisie quand elle sentit un souffle derrière elle.

— J'en doute, ma chère. Je pense qu'elle préfère rester avec papa.

De surprise, Melissa fit volte-face. Kirk Thayer était là, droit devant elle, grand, charnu, le visage pâle et boursouflé.

Sous le choc, la première pensée qui traversa Melissa fut : « Seigneur ! Mais qu'est-ce que June a bien pu trouver à ce type-là ? »

Mais ce fut avec un calme qui l'étonna elle-même qu'elle répliqua ensuite, malgré sa frayeur :

— Cela m'étonnerait, monsieur Thayer. Je vais la ramener là où elle doit être, et vous ne pourrez pas m'en empêcher.

— Vraiment ? Que vous faut-il pour vous convaincre du contraire ? Ceci, peut-être ?

Il plongea la main dans sa poche et en tira un petit revolver.

Sans doute un pistolet à eau ! pensa Melissa en lui riant au visage.

— Vous n'êtes pas un peu trop vieux pour faire joujou, à votre âge ?

Le regard qu'il lui lança en retour la glaça jusqu'aux os. C'était le regard d'un fou. Il leva son arme, visa l'ouverture de la fenêtre et fit feu, tandis que Melissa écarquillait les yeux d'horreur.

— Vous voyez qu'il ne faut pas me mettre en colère, dit Thayer, menaçant. J'ai tendance à perdre la tête, quand je suis furieux.

A ces mots, une vague de terreur pure submergea Melissa.

« Bon sang ! pourquoi n'ai-je pas attendu Mac ? se désola-t-elle. Avec lui, il ne serait jamais rien arrivé de tel. Nous serions déjà en route pour le continent, et Angela serait à l'abri. »

— Votre mari ne vous a pas accompagnée ? demanda Kirk Thayer sur le ton de la conversation. Il a eu mieux à faire ?

— Comment saviez-vous qu'on viendrait ?

— Ma chère maman m'a prévenu par téléphone. Elle pensait que vous me vouliez du mal.

La voix de Mac résonna dans l'esprit de Melissa, presque comme s'il était dans la pièce : « Sadie est une grenade prête à exploser… Elle l'a protégé toute sa vie… » Oh, pourquoi ne l'avait-elle pas cru ?

— J'ignorais que vous étiez mariée, continua Kirk. Mais j'ai reconnu votre prénom tout de suite. Il m'a corné aux oreilles jusqu'à la nausée lorsque je vivais avec June. Melissa ceci, Melissa cela… C'est elle qui vous envoie ici, je le sais. Mais elle n'en tirera aucun profit. Personne ne m'enlèvera Angela.

— Ce n'est pas pour ça que je suis venue, soutint Melissa, bien que l'argument ne fût guère susceptible de le convaincre. June veut juste s'assurer qu'Angela pousse bien. Elle n'a pas du tout l'intention de vous séparer de votre fille.

— Bien sûr que si ! fit-il en hochant la tête d'un air attristé. Elle me déçoit tellement. J'avais cru qu'elle comprenait. Après tout, elle a été privée de son père elle aussi, elle sait que c'est douloureux pour un enfant de ne pas avoir de soutien paternel. C'est ça qui nous a rapprochés au début, vous savez : on avait été abandonnés par l'un de nos parents.

— Et ça peut rester un lien entre vous, Kirk.

— Arrêtez de raconter n'importe quoi ! Elle vous a envoyée pour me voler ma fille ! Mais il n'est pas question que je perde un autre enfant ! Vous ne l'emmènerez pas !

Il commençait à s'énerver, et face au revolver qu'il agitait devant elle, Melissa dut surmonter sa peur.

— Comment allez-vous m'en empêcher ? répliqua-t-elle.

— En vous tuant, je suppose.

En l'entendant parler avec autant de dégagement que s'il discutait du temps, Melissa se souvint de ce qu'avait avoué Sadie : « Il a souffert d'instabilité psychologique ». « Il a pété les plombs ! » s'était écrié James.

Ce n'était que trop vrai ! se désola-t-elle, incapable de garder le moral.

Certes, elle n'avait jamais pensé qu'il serait facile de retrouver Angela et, dans son subconscient, elle avait envisagé confusément la possibilité d'un échec. Mais pas une seconde, elle n'avait imaginé que sa quête pourrait déboucher sur la mort !

Tout cela était insensé, pensa-t-elle, embrassant du regard Thayer et les lieux qui l'environnaient — si luxueux, si bien agencés, si… civilisés !

Les assassins n'étaient-ils pas des êtres misérables, opérant la nuit dans des ruelles sombres, loin du soleil et des passants ?

— Allez-vous me tirer dessus ? demanda-t-elle, se rappelant tout à coup que, au cinéma du moins, le secret de la survie consistait à faire parler l'assassin potentiel.

— Sûrement pas ! s'exclama-t-il presque gaiement. Cela salirait le tapis. Vous allez passer par-dessus la rambarde du balcon. Mais pas de ce côté-ci, bien sûr. Il y a un endroit bien plus approprié de l'autre côté de la maison, celui qui donne sur le canyon. Avant que votre corps soit découvert, ça prendra des semaines. Ou l'éternité.

— Vous ne vous en tirerez pas comme ça. Mac va venir me chercher. Il sait où je suis.

— Il aura beau chercher, il ne vous trouvera pas. Et il ne trouvera pas ma fille non plus. Votre corps n'aura pas fini de dégringoler la falaise que nous serons déjà loin. Rosa prépare notre départ en ce moment même. Alors, suivez-moi, ma chère, et finissons-en.

Comme hypnotisée par l'arme qui la menaçait, Melissa précéda Thayer qui lui faisait signe d'avancer dans le couloir.

— Très bien, je vois qu'on est docile, commenta-t-il en lui flanquant le bout du revolver dans les côtes. Tournez à droite et continuez. Je vous dirai quand vous arrêter.

La terrasse décrivait une courbe, s'éloignant du jardin pour s'avancer vers l'est, là où la paroi abrupte du canyon interrompait le profil de la colline.

— O.K., nous sommes assez loin, décréta Kirk Thayer. Allons, enjambez la balustrade, et je vous donnerai une petite poussée. Vous n'aurez pas le temps de dire ouf que ce sera déjà fini.

Désespérément en quête d'une issue, d'un moyen de fuite, Melissa fit encore un pas et regarda en contrebas…

Mais en dessous, le monde se déroba brutalement, ne lui laissant voir que du vide. Vacillante, elle sentit le souffle lui manquer. Ses pieds avaient beau être encore solidement plantés sur le sol, elle avait l'impression que quelque force surnaturelle allait la projeter dans l'espace infini du ciel et de la mer.

— Allons, bougez-vous ! ordonna Thayer.

— Non, dit-elle. Il va falloir que vous me souleviez pour me jeter vous-même.

Elle sentit le froid du canon contre sa gorge, entendit un déclic. Celui de la gâchette ? Elle n'en savait rien. Elle ne savait même pas ce que c'était qu'une arme.

Eperdue, elle pensa : « J'aurais dû t'écouter, Mac. J'aurais dû te faire confiance. » Elle avait agi de façon infantile, pour le seul plaisir de lui en remontrer, et elle payait la facture, à présent. Le pire, c'était qu'il devrait payer lui aussi, puisque à cause d'elle, il aurait une nouvelle tragédie sur la conscience.

« Pardon, je regrette tellement », pensa-t-elle en se souvenant du réconfort qu'il avait su à plusieurs reprises lui donner. Elle avait ignoré la peur, alors. Parce qu'il était là.

Mac avait déjà pénétré à l'intérieur de la maison lorsque le coup de feu troubla la tranquillité de l'après-midi.

Un instant pétrifié par la détonation, il reprit espoir en entendant des voix — celles de Thayer et Melissa —, et comprit qu'elles provenaient du moniteur de contrôle de la nursery, dont un relais était installé près du plan de travail de la cuisine.

Alors, il se rua dans l'escalier. Au milieu des marches, une femme terrorisée le regardait grimper.

— Donnez-moi ça ! lui ordonna-t-il en s'emparant du panier à linge qu'elle tenait, pour s'en servir éventuellement comme bouclier.

Puis, il continua son ascension, guidé par les pleurs du bébé. Arrivé au dernier étage, il vit, au-delà des baies vitrées coulissantes, une terrasse sur pilotis, qui épousait le contour de la maison. Dès qu'il eut mis les pieds dessus, il entendit de nouveau la voix de Melissa, quelque part sur la droite.

— Qu'est-ce que vous attendez pour me tirer dessus, Kirk ? disait-elle d'une voix que la terreur rendait rauque. C'est le seul moyen d'en finir.

« Ne lui donne pas d'idées, la belle ! pensa-t-il en se plaquant contre la paroi pour contourner silencieusement l'angle de la maison. Il est suffisamment dément comme ça. »

Il les vit aussitôt : Thayer, enjambant la large rambarde, et Melissa qu'il traînait après lui tout en la menaçant d'un revolver.

Il avait été flic. Il avait perdu des équipiers, affronté la mort, et l'avait même infligée, parfois, lorsqu'il y était contraint. Pourtant, jamais il n'avait ressenti la peur brute, intense, qui le tétanisait à cet instant.

L'expulsant hors de lui en un cri sauvage, il plongea en avant, expédiant à la volée dans le même mouvement le lourd panier de linge. Pendant quelques secondes, l'objet parut suspendu dans les airs, lâchant sur son passage des vêtements d'enfant. Une petite couverture blanche voleta et s'abattit, tel un parachute, sur la tête de Thayer.

Celui-ci se détourna, reçut la panière à l'épaule, vacilla, et finalement tomba dans les airs, la main encore crispée sur son arme, tandis que Melissa chutait, heureusement, du bon côté de la terrasse.

— Ma chérie !

Galvanisé par le soulagement, Mac se rua pour prendre la jeune femme dans ses bras.

L'après-midi touchait à sa fin lorsque se termina l'interrogatoire des policiers arrivés sur les lieux.

Revenant dans la nursery, où Melissa se balançait sur un rocking-chair, le bébé dans les bras, Mac annonça :

— On peut partir. Prends de quoi changer et nourrir la petite pendant quelques heures et fichons le camp d'ici.

Elle resta sans réaction, le regard fixe, et il comprit qu'elle subissait le contrecoup du traumatisme enduré.

— Hé, la belle, dit-il doucement en s'agenouillant devant elle pour lui caresser les cheveux. C'est fini. Tout va bien, maintenant. Thayer ne nuira plus à personne. Tu peux rentrer à la maison.

— Je n'avais jamais vu mourir quelqu'un. J'ai cru qu'il ne s'arrêterait jamais de crier.

Réprimant une envie lancinante de la serrer dans ses bras, il tenta de la raisonner.

— C'est éprouvant, je sais. Même pour un dur à cuire comme moi.

— C'est ma faute, s'il est mort. Il voulait que je saute, mais je n'ai pas pu.

— Je sais, chérie, et j'en suis heureux.

— J'avais le vertige.

Elle frissonna, et logea le bébé contre son cou.

— Pauvre petite Angela ! Il lui a fait une peur horrible quand il a tiré.

— J'ai eu une peur bleue aussi. J'ai cru qu'il t'avait abattue.

— Non, c'était juste pour me montrer. Je croyais que c'était un jouet, tu comprends.

— C'était un Beretta neuf millimètres, Melissa. Peu d'armes ont plus de force de destruction que celle-là.

Mais comme si elle n'avait pas entendu, elle s'écria d'un air désolé :

— Pauvre Sadie !

— C'est elle qui l'a alerté à notre sujet, souligna-t-il.

— Je sais. Parce qu'elle l'aimait. C'était son bébé à elle... Quand elle saura ce qui s'est passé...

— Tu as suffisamment de soucis pour ne pas endosser aussi ce fardeau-là, coupa Mac, énergique, comme toujours. Sadie a le soutien de James. Allons, la belle, prends les affaires nécessaires au bébé et allons-y. Un hélicoptère attend pour nous emmener à l'aéroport. Je ne veux pas manquer ce vol pour Vancouver.

— Faudra-t-il que je revienne ici pour l'enquête ?

— Non. Je me chargerai de régler tout ça, ça fait partie de mon job. Allez, viens...

Finalement, elle le suivit, telle une somnambule, et une demi-heure plus tard, ils décollaient de l'île.

Pour la première fois depuis longtemps, Melissa se tourna vers lui et le fixa de son magnifique regard en souriant. Il n'osa la regarder en face ; il n'était pas prêt à affronter les sentiments qu'elle lui inspirait. Il n'avait pas envie de prononcer des mots qu'il regretterait plus tard d'avoir lâchés.

Alors, il chercha à meubler le silence.

— Ton vol est à 20 heures. Ce soir, tu dormiras chez toi.

— Oui. Maman sera surprise de nous voir.

— Non, je lui ai téléphoné pour lui annoncer la grande nouvelle. Tout le monde sera là pour t'accueillir à l'aéroport, y compris June et ton père.

Le bébé s'agita alors, et Melissa se consacra à lui pendant le reste du trajet.

Ce fut seulement devant le guichet d'embarquement qu'elle comprit que le moment de la séparation était venu.

— Pourquoi n'as-tu pas enregistré ton bagage avec le mien ?

— Je ne t'accompagne pas, la belle.

— Pourquoi ?

— Il y a encore des choses à régler ici.

— C'est la seule raison ?

— Ce job touche à sa fin, Melissa.

— Au diable le job ! Et toi et moi, alors ?

Il hocha la tête.

— Ce n'est pas le bon moment pour envisager ça.

Il la vit se décomposer.

— Est-ce qu'il y en aura un un jour ?

— Je l'ignore. Tout ce que je sais, c'est que nous avons besoin de recul, après toutes les secousses de cette semaine. Nous devons revenir à une vie normale. J'ai besoin de reprendre le cours de mon existence, celle que j'avais avant que tu débarques sur mon coin de plage.

— Tu te fiches de ce que j'éprouve pour toi ? murmura-t-elle d'une voix presque inaudible.

— Voyons, en fait, tu ignores ce que tu ressens à mon égard. Tu es épuisée, éprouvée émotionnellement, tu ne sais pas où tu en es.

— Je désire essayer d'y voir clair.

— Pas moi, répondit-il, obéissant à la nécessité d'être franc. Ta vie vient de subir un temps d'arrêt, et la mienne aussi. Maintenant que nous avons retrouvé Angela, nous devons reprendre les choses où nous les avions laissées. Tu as des ambitions professionnelles à satisfaire, des problèmes familiaux à résoudre. J'ai un manuscrit à remettre. Je ne veux pas compromettre tout cela à cause de… d'une chose aussi inconsistante que ce qui nous a… plus ou moins liés cette semaine. Et tu devrais voir les choses comme moi.

— Je pensais que c'était spécial, entre nous.

Il perçut à l'intonation qu'elle avait le cœur brisé ; il éprouva lui-même un élancement douloureux.

— C'était le cas, reconnut-il. Je ne l'oublierai jamais, et toi non plus. Mais ce serait une erreur d'y accorder plus importance qu'il ne le faut.

Une voix, dans le haut-parleur, annonça aux passagers du vol pour Vancouver que l'embarquement avait commencé.

— C'est pour toi, la belle, dit-il en la poussant doucement vers le hall.

Se retournant à la dernière minute, elle leva son visage vers lui.

— J'ai horreur des adieux.

— Moi aussi, admit-il en lui donnant un baiser au coin de la bouche. Mais nous avons toujours su que notre association serait passagère.

Un bref instant, elle se cramponna à lui, et il sentit qu'elle était au bord de l'effondrement. Comme il n'aurait jamais eu le cran d'affronter cela, il la propulsa vers le portillon à franchir et s'éloigna très vite, sans regarder derrière lui.

12.

Pour Melissa, la vie continua. Mais plus rien n'était tout à fait pareil.

Après des années de séparation, ses parents s'étaient retrouvés et rattrapaient le temps perdu.

Quant à June, la maternité l'avait épanouie. Elle était heureuse auprès de l'adorable petite Angela, qui faisait le bonheur de ses proches. Lorsque son amour de jeunesse, muté en Malaisie depuis six ans, rentra et reprit leurs relations au point où elles en étaient restées, tout alla pour le mieux.

Melissa, elle, avait plus de peine à retrouver ses marques. Elle se réjouissait pour sa mère et sa sœur, et pour son père aussi. Mais les joies sentimentales de son entourage avivaient sa peine secrète. Elle devint l'assistante d'un chef renommé dans le plus luxueux hôtel de la ville, et s'installa dans un appartement à proximité.

Elle sortait avec son amie Linda au cinéma ou au restaurant, peaufinait ses projets d'avenir. Mais désormais, cela ne l'excitait plus guère.

Quelque temps, elle espéra que Mac téléphonerait pour lui déclarer qu'il ne pouvait vivre sans elle. Mais il n'appela pas, ne vint pas la voir. Il chargea un de ses frères de lui ramener sa voiture, et de repartir pour l'Oregon avec la Jaguar qu'il avait laissée à Vancouver.

En novembre, alors que des tempêtes marquaient la fin de l'automne, il lui adressa un mot confirmant les propos qu'il avait tenus à l'aéroport.

« La mort de Kirk Thayer a été jugée accidentelle, écrivait-il. En apprenant la nouvelle, Sadie a accusé le choc. James l'a emmenée en croisière pour l'aider à se remettre. Cela leur fera beaucoup de bien à tous les deux. Trillium Cove s'apprête à hiverner. Je travaille à un nouveau livre. J'espère que tu vas de l'avant de ton côté, et que tu es heureuse de nouveau.»

Elle déchira le mot en mille morceaux et le flanqua à la poubelle. Puis, elle pleura pendant près d'une heure, avant de se raisonner et d'admettre son erreur.

Car jamais elle n'aurait dû s'éprendre d'un homme qui, de son côté, avait uniquement investi dans le but professionnel qu'il s'était fixé, et avait remporté sur le passé la victoire qu'il espérait. Et puisque Mac avait repris sa vie de son côté, il était temps qu'elle fasse de même avec la sienne.

En décembre, elle fit une rencontre sentimentale : un certain John avec lequel elle sortit une fois ou deux. Mais un soir qu'il avait bu, il se montra trop entreprenant, et elle rompit en lui flanquant une gifle.

Noël passa, et elle pensait encore à un séducteur aux cheveux noirs, aux yeux bleu-gris, dont le sourire magnifique la faisait chavirer et qui hantait ses rêves, et ses désirs.

Elle souffrait sans savoir comment guérir sa peine.

Plus rien n'était pareil, se disait Mac en se sentant de plus en plus déprimé. Avant, la solitude lui convenait, maintenant, elle lui pesait. La maison lui semblait trop vaste, et son lit, désespérément vide. Il se surprenait à rester planté des heures devant la baie du séjour, à contempler la mer comme si Melissa allait en surgir telle une sirène. Si par hasard on frappait à sa porte, il avait une seconde d'espoir, rapidement déçu.

Andrea le traitait d'insensé ; ses frères se gaussaient de voir qu'il était enfin à la merci d'une femme ; plus compatissantes, ses belles-sœurs lui cuisinaient des petits plats et des cookies. Sa mère, elle, avait la sagesse de s'abstenir de tout commentaire.

A Noël, il s'offrit quelques jours de soleil à Ciudad del Carmen, au Mexique, et y rencontra une femme ravissante et gaie, qu'il emmena dans son lit dans l'espoir qu'elle lui ferait oublier Melissa, mais en vain.

En février, les propriétaires du Trillium Cove Inn prirent leur retraite et mirent l'hôtel-restaurant en vente.

Qui achèterait ? se demanda Mac. Sans doute un jeune, débordant d'énergie, avec des goûts raffinés et le sens du cosmopolitisme.

A cette pensée, il s'avisa que cela correspondait au profil de Melissa.

Oui, c'était elle qu'il fallait, décida-t-il. Pour le restaurant comme pour lui-même !

Un samedi matin du début de mars, juste après avoir fait sa toilette, Melissa décrocha distraitement en entendant sonner le téléphone. C'était Linda, sans doute, qui voulait l'inviter à faire une séance de shopping...

— Salut, la belle !

Elle eut l'impression que son cœur s'arrêtait de battre. Non, c'était impossible, elle avait mal entendu ! Ce ne pouvait être Mac. Jamais il n'aurait rappelé, après tout ce temps...

— Qui est-ce ? balbutia-t-elle.

— A ton avis ? Il y a tant de monde que ça qui t'appelle « la belle » ?

— Qu'est-ce que tu veux ?

— Ma foi, j'ai réfléchi. Vivre seul n'a pas que de bons côtés. Tu m'as bien conseillé, une fois, de prendre une gouvernante, mais je n'en trouve aucune qui soit prête à accepter mes conditions.

— Tu as sûrement mal cherché.

— J'ai écumé toute la région. Mais comment loger quelqu'un à demeure quand je n'ai qu'une seule chambre et qu'un seul lit ? Alors, je me demandais si ça ne t'intéresserait pas, puisque tu as déjà testé le lit et le bonhomme et que tu les as trouvés...

— Non, Mac, coupa-t-elle.

Elle avait à demi envie de sourire, car elle comprenait bien ce qu'il lui demandait réellement. Mais elle était blessée, parce que cet homme qui savait affronter sans ciller un individu armé n'avait pas le cran de dire ouvertement ce qu'il voulait.

— Ce n'est guère tentant, dit-elle.

— Tu plaisantes ?

— Pas du tout. Tes conditions ne me conviennent pas.

— Eh bien ! si je m'attendais ! Tu es ouverte à la négociation, au moins ?

— Peut-être. Mais il me faut plus qu'un coup de fil pour reconsidérer les choses.

— Je vois.

Elle entendit un déclic : il avait raccroché ! Abasourdie, elle reposa le récepteur dans sa loge. C'était inouï ! Il lui avait raccroché au nez ! Et il avait réussi à faire saigner une nouvelle fois son pauvre cœur éploré !...

Entendant frapper à la porte, elle gagna l'entrée sans cesser de fulminer en son for intérieur.

Dire qu'après un silence interminable, il s'était attendu à ce qu'elle lui tombe toute rôtie dans le bec. Bon sang, c'était un peu fort ! pensa-t-elle en ouvrant le battant.

— Mac...

Il était sur le seuil, son téléphone cellulaire dans une main, un bouquet de fleurs dans l'autre. Il s'empressa d'entrer en bougonnant :

— Mademoiselle fait des difficultés ! Je savais bien que tu n'étais qu'une enquiquineuse.

— Mais... tu ne peux pas être ici, murmura-t-elle faiblement, effrayée à la pensée qu'il n'était peut-être qu'un produit de son imagination. Tu vis en Oregon.

Le regard pétillant d'amusement, il répliqua :

— Rassure-toi, j'ai beaucoup de cordes à mon arc, mais je n'ai pas le don d'ubiquité !

— T-tu es bien là ?

— Bien sûr, fit-il en l'enlaçant. Tu as dit qu'il te fallait plus qu'un simple coup de fil, non ?

Elle ouvrit la bouche pour parler, la referma aussitôt. Il n'y avait pas de mots pour traduire ce qu'elle ressentait soudain. Elle avait l'impression d'être plus légère qu'une bulle de savon, plus pétillante qu'une coupe de champagne. En fait, elle était si merveilleusement grise et exaltée qu'elle avait peine à tenir sur ses jambes.

— Comment as-tu su où j'habitais ?

— J'ai téléphoné à ta mère. Il fallait que je vienne.

— Pourquoi ?

— Pour te dire que sans toi, ma vie n'a pas de sens.

— Ce n'est pas ce que tu avais prétendu à Los Angeles.

Il la fit reculer dans l'appartement, jusqu'au salon, tout en l'embrassant avec une exigence avide, passionnée.

— Que faut-il pour te faire oublier ce que j'ai dit là-bas ? murmura-t-il.

— Il m'en faut beaucoup, soutint-elle, sentant qu'elle devait lui résister de son mieux au lieu de défaillir et de fondre, si elle ne voulait pas avoir à souffrir encore. Tu disais que nous n'avions rien en commun, que nos projets d'avenir étaient incompatibles.

— J'ai le droit de me tromper de temps à autre, non ?

— Je ne sais pas, murmura-t-elle prudemment.

— Si je te disais que je ne suis pas venu avec des promesses creuses, ça te rassurerait ? lâcha-t-il en déposant son bouquet sur la table. Viens t'asseoir avec moi sur ce canapé…

Elle s'exécuta docilement mais en restant sur ses gardes.

— En fait, reprit-il, j'ai une proposition pour toi, la belle.

Elle le contempla. Il était si séduisant avec ce chandail noir à col roulé et ce blouson en cuir fauve… Pour un peu, elle l'aurait dévoré tout cru, tellement il lui plaisait.

— Je t'écoute, fit-elle.

— Une question, d'abord. Ton projet d'ouvrir un restaurant a-t-il avancé ?

— Non.

— Pourquoi ? Tu as changé d'avis ? Tu ne veux plus avoir ta propre affaire ?

— Bien sûr que si, et j'ai bien l'intention de continuer à travailler dur pour cela.

— Tu peux aussi compter sur moi, Melissa, soutint Mac. Et sans avoir à renoncer à quoi que ce soit de tes ambitions. Pour toi, je décrocherais la lune.

— Je ne t'en demande pas tant, assura-t-elle, le regard plongé dans les prunelles couleur d'orage qui l'enveloppaient intensément.

— Un petit bout de mon monde, alors, ça t'irait ? Une maison sur la plage avec en prime l'auberge de Trillium Cove ? Car l'établissement était à vendre, et je l'ai acheté, la belle. Mais que je sois pendu si je sais quoi en faire, si tu n'en veux pas comme cadeau de mariage.

— Je ne me marie pas, parvint-elle à affirmer malgré l'élan de bonheur qui la soulevait comme une vague.

— Même si je te le demande ?

— C'est à voir. Cela dépend.

Il lui effleura la bouche de ses lèvres, murmurant d'un ton taquin :

— De quoi, chérie ?

— De la raison qui te pousse à le faire.

— Si je te dis que je t'aime, ça suffira ?

— Tu m'aimes ?

— Oh, chérie, oui, comme un fou ! En fait, déclara-t-il en se penchant plus près pour lui mordiller l'oreille, personne ne me met sens dessus dessous comme toi.

Elle se laissa aller à rire, et c'était une sensation merveilleuse. Son chagrin, sa désespérance, tout ça s'était envolé comme un rayon de soleil, en été, chasse l'orage.

— Tu as vraiment acheté cet hôtel ? s'enquit-elle.

— Mmm, mmm, marmonna Mac. Il est comme moi : pas brillant, il a besoin qu'on le dorlote. Il faudra sûrement refaire entièrement les cuisines, et trouver un nouveau chef.

Luttant vainement contre le désir qui la gagnait, elle concéda :

— Peut-être qu'on pourra faire affaire, après tout.

Elle avait si souvent revécu, en pensée et en rêve, leur nuit d'amour à San Francisco, si souvent aspiré à sentir de nouveau son corps contre le sien pour surfer sur les vagues déferlantes de la passion partagée...

— Diriger un hôtel-restaurant le jour et te mettre sens dessus dessous la nuit… pas mal, comme perspective. En fait, plus j'y pense, plus ça m'enchante, dit-elle, mutine.

— Je ne suis pas un type facile à vivre, Melissa, lui rappela-t-il. Avec moi, ça ne sera pas toujours simple. Quand mon travail d'écrivain ne va pas comme je veux, je deviens mal luné. Quand d'anciens collègues me demandent un conseil qu'ils négligent ensuite, je suis infernal. J'ai un passé, et les gens qui en font partie comptent encore pour moi.

— Tu cherches à me faire battre en retraite, ou quoi ?

— Sûrement pas !

Il la renversa contre le dossier, lui effleura les lèvres du bout du pouce…

— Quoi qu'il arrive, je te promets que tu passeras avant tout. Je serai toujours près de toi, prêt à te soutenir.

— Je sais, souffla-t-elle en l'enlaçant, le cœur battant. Et c'est la seule chose qui compte. Je t'aime, Mac, tel que tu es. Je t'aime pour ta loyauté et ta force, mais aussi pour ta sensibilité et ta compassion. Ne me permets jamais de l'oublier.

— Tu peux compter sur moi. Pour toujours.

C'était plus que Melissa n'avait osé espérer.

Et elle ne désirerait jamais autre chose, pensa-t-elle tandis que les lèvres de Mac s'emparaient passionnément des siennes.

Le nouveau visage de la collection Or

AMOURS D'AUJOURD'HUI

Afin de mieux exprimer sa modernité et de vous séduire encore davantage, votre collection Or a changé de couverture et de nom depuis le 1er mars 1995.

Rassurez-vous, les romans, eux, ne changent pas, et vous pourrez retrouver dans la collection **Amours d'Aujourd'hui** tous vos auteurs préférés.

Comme chaque mois, en effet, vous y attendent des héros d'aujourd'hui, aux prises avec des passions fortes et des situations difficiles...

COLLECTION
AMOURS D'AUJOURD'HUI :
Quand l'amour guérit des blessures de la vie...

Chère lectrice,

Vous nous êtes fidèle depuis longtemps?
Vous venez de faire notre connaissance?

C'est pour votre plaisir que nous avons imaginé un rendez-vous chaque mois avec vos auteurs préférés, vos AUTEURS VEDETTE *dans les collections* Azur *et* Horizon.

Les AUTEURS VEDETTE *vous donneront rendez-vous pour de nouveaux livres vedette.*

Pour les reconnaître, cherchez l'étoile... Elle vous guidera!

Éditions Harlequin

LE FORUM DES LECTEURS ET LECTRICES

CHERS(ES) LECTEURS ET LECTRICES,

VOUS NOUS ETES FIDÈLES DEPUIS LONGTEMPS?

VOUS VENEZ DE FAIRE NOTRE CONNAISSANCE?

SI VOUS AVEZ DES COMMENTAIRES, DES CRITIQUES À FORMULER, DES SUGGESTIONS À OFFRIR, N'HÉSITEZ PAS... ÉCRIVEZ-NOUS À:

LES ENTERPRISES HARLEQUIN LTÉE.
498 RUE ODILE
FABREVILLE, LAVAL, QUÉBEC.
H7R 5X1

C'EST AVEC VOS PRÉCIEUX COMMENTAIRES QUE NOUS ALLONS POUVOIR MIEUX VOUS SERVIR.

DE PLUS, SI VOUS DÉSIREZ RECEVOIR UNE OU PLUSIEURS DE VOS SÉRIES HARLEQUIN PRÉFÉRÉE(S) À VOTRE DOMICILE, NE TARDEZ PAS À CONTACTER LE SERVICE D'ABONNEMENT; EN APPELANT AU (514) 875-4444 (RÉGION DE MONTRÉAL) OU 1-800-667-4444 (EXTÉRIEUR DE MONTRÉAL) OU TÉLÉCOPIEUR (514) 523-4444 OU COURRIER ELECTRONIQUE: AQCOURRIER@ABONNEMENT.QC.CA OU EN ÉCRIVANT À:

ABONNEMENT QUÉBEC
525 RUE LOUIS-PASTEUR
BOUCHERVILLE, QUÉBEC
J4B 8E7

MERCI, À L'AVANCE, DE VOTRE COOPÉRATION.

BONNE LECTURE.

HARLEQUIN.

VOTRE PASSEPORT POUR LE MONDE DE L'AMOUR.

ROUGE PASSION
De fiévreuses histoires d'amour sensuelles!
De provocantes histoires d'amour passionnées et romantiques qu'on lit d'une seule traite. Aventureuses, parfois humoristiques, et sensuelles, elles mettent en vedette des hommes et des femmes d'aujourd'hui.
ROUGE PASSION... quatre nouveaux titres chaque mois.

GEN-RP

Composé et édité
PAR LES ÉDITIONS HARLEQUIN
Achevé d'imprimer en juin 2003

à Saint-Amand-Montrond (Cher)
Dépôt légal : juillet 2003
N° d'imprimeur : 33116 — N° d'éditeur : 9964

Imprimé en France